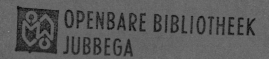

FAMILIEPROBLEMEN

Olga van der Meer

Familieproblemen

Westfriesland

ISBN 978 90 205 0751 5
NUR 344

© 2012 Uitgeverij Westfriesland, Utrecht
Omslagillustratie en -ontwerp: Bas Mazur

olgavandermeer.jouwweb.nl
www.uitgeverijwestfriesland.nl

HOOFDSTUK 1

Hotel Margaretha baadde in het zonlicht. In de enigszins verborgen hoek achter het overdekte zwembad was de familie Nieuwkerk, zoals zo vaak, bij elkaar gekomen om van een welverdiende pauze te genieten. Met dergelijk mooi weer deden ze dat altijd in de grote tuin in plaats van in de speciaal daarvoor ingerichte personeelskamer. Gasten kwamen bijna nooit in dit gedeelte van de tuin, omdat het om een afgelegen hoek ging. De familie had deze plek dan ook al snel tot hun eigen plaatsje gebombardeerd. Hoewel het slechts een paar meter van de ingang van het hotel verwijderd was, hadden ze hier even het gevoel echt vrij te zijn.

'Wat is het nog heerlijk, hè?' genoot Noortje met haar gezicht in de zon. 'We hebben een mooie nazomer dit jaar.'

'Dat mag dan ook wel, na alle regen die er in de zomer gevallen is,' bromde haar broer Sjoerd. 'De zomers worden steeds ellendiger wat dat betreft.'

'Alsof jij daar last van had. Je hebt vijf weken in Italië doorgebracht met je gezin,' katte Lieke, de tweelingzus van Noortje.

'Dergelijk regenachtig weer is slecht voor de klandizie, daar maak ik me zorgen om,' beweerde Sjoerd met een uitgestreken gezicht en een knipoog naar Froukje, de grote drijfveer achter hun familiehotel. Zij was destijds met het plan gekomen om met de hele familie een bedrijf op te zetten nadat ze een enorme geldprijs hadden gewonnen in een buitenlandse loterij. Met lede ogen had ze aangezien hoe de familiebanden onder de invloed van het geld verslechterden, hoewel ze zich daar met hand en tand tegen probeerde te verzetten. Met het uitkomen van al hun dromen, verdween het goede wat ze voor die tijd hadden naar de achtergrond. Een gezamenlijk doel waar ze hun schouders onder konden zetten, moest voorkomen dat ze helemaal uit elkaar zouden groeien.

Het was een gezellig, bloeiend familiehotel geworden, waar alle familieleden, inclusief de partners, in meewerkten. Liekes man David was de enige van het gezin die geen baan binnen het hotel had, al was hij nooit te beroerd om zijn handen uit de mouwen te steken als er iets bijzonders te doen was. Lieke organiseerde met haar eigen evenementenbureau, gevestigd in het hotel, tevens haar grootste opdrachtgever, regelmatig bijzondere thema avonden waarbij David kwam helpen. Dat deed hij liever dan in zijn eentje thuis op zijn vrouw wachten, beweerde hij altijd.

Sjoerd beheerde de website, regelde veel administratieve zaken en leidde samen met zijn vrouw Anneke de souvenirwinkel in de hal. Hun inmiddels achtjarige tweeling Damian en Charity zat de hele dag op school. De benjamin van het gezin, de tweejarige Marja, bracht twee dagen per week door in de crèche die Noortje binnen het hotel leidde. Noortje was sinds kort getrouwd met Leen Jonkers, manager van hotel Margaretha. Na een kortstondige relatie met Froukje had hij beseft dat hij met de verkeerde zus samen was. Noortje was het helemaal voor hem, iets wat hij ontdekt had toen haar vriend Frits overleden was aan de gevolgen van aids en hij Noortje opving. Het had de nodige problemen binnen de familie veroorzaakt en een bijna definitieve breuk. Froukje, nota bene de oprichtster van het hotel, was zelfs een tijdje het land ontvlucht.

Gelukkig lag die ellendige periode nu achter hen. Froukje had in Engeland de Nederlandse Mark ontmoet, die nu als kok in het hotel werkte. Hoewel ze elkaar nog maar net kenden toen hij al bij haar in haar riante villa introk, hadden ze nog geen seconde spijt gehad van die beslissing. Hun relatie verliep uitstekend en Froukje was er tegenwoordig zelfs blij om dat haar omgang met Leen op niets was uitgelopen. Leen kon in haar ogen niet tippen aan Mark, hoe graag ze hem verder ook mocht.

Helaas voor de telgen Nieuwkerk lag er een drama aan de verzoening ten grondslag. Marga Nieuwkerk, de moeder en vrouw naar wie het hotel was vernoemd, was onverwachts overleden aan een hartstilstand. Dit grote verdriet had alle familieleden weer met elkaar verzoend en hen eens te meer doen beseffen hoe betrekkelijk het leven was. De prijs die ze voor die wetenschap betaald hadden was ontzettend hoog, maar ze wisten allemaal dat Marga deze nieuwste ontwikkelingen binnen haar gezin toegejuicht zou hebben. Haar dood was niet helemaal voor niets geweest en die gedachte troostte hen enigszins in het enorme verdriet.

Barend Nieuwkerk, trots hoofd van de familie, had zich vol overgave op zijn werk in het hotel gestort. Sinds het overlijden van zijn vrouw, inmiddels ruim twee jaar geleden, was hij nooit meer helemaal de oude geworden. Hij was stiller dan vroeger, meer in zichzelf gekeerd, en trad minder op de voorgrond. Hoewel hij naar zijn gasten toe nog steeds de joviale gastheer was, altijd even hartelijk, was er samen met Marga iets in hem gestorven wat niet meer tot leven te wekken was. Zijn ogen schitterden niet meer en van het enthousiasme waar hij destijds het hotel mee begonnen was, was niet zo veel meer over. Vroeger was hij na een lange, drukke werkdag geladen met nieuwe energie en extra gemotiveerd om de zaken nog beter aan te pakken; tegenwoordig ging hij nadat hij zijn avondmaal in het restaurant had gebruikt naar huis om de avond op de bank voor do tolevioic door te brengen. Sinds de gescheiden vriendin van Marga, Gerda, de bovenverdieping van zijn huis had gehuurd, was er weer iets meer gezelligheid in huis gekomen, maar ook zij kon de lege plek die Marga had achtergelaten niet opvullen. Dat kon niemand, daar was Barend van overtuigd. Hoewel al zijn kinderen hoopten dat hij bij Gerda nieuw geluk zou vinden, was daar tot nu toe geen sprake van.

'Ik ben blij dat je zo begaan bent met het hotel,' reageerde Froukje nu op Sjoerds laatste opmerking. Ze wierp een blik op haar horloge. 'Dus begrijp ik eigenlijk niet dat je niet weer aan het werk gaat. Je pauze is al lang voorbij.'

Sjoerds commentaar ging verloren in het algemene gelach dat op deze opmerking volgde.

Met nog een laatste spijtige blik naar de zon stond iedereen op. Gerda, die meestal bij de familie zat in hun gezamenlijke pauzes, ruimde de koffieboel op.

'Gezien de weersvoorspellingen vrees ik dat dit voorlopig onze laatste pauze in de zon was,' zei Noortje somber. 'Kijk, daar verschijnen de eerste wolken al.' Ze wees naar de lucht.

'Zolang die wolken alleen in de lucht zitten en niet in ons leven verschijnen, valt het nog wel mee,' zei Lieke filosofisch.

Noortje keek haar aan alsof ze aan de verstandelijke vermogens van haar zus twijfelde. 'Waar slaat dat nou weer op?'

'Het was zomaar een beeldspraak. Wolken in de lucht, voor de zon, je weet wel,' verduidelijkte Lieke.

'Ik begreep hem wel, maar jouw woorden hadden niets te maken met de mijne,' bromde Noortje. 'Waarom ben je daar eigenlijk bang voor? Alles gaat toch goed, momenteel?'

'Dat wel, maar wij weten als geen ander dat het ieder moment om kan slaan,' meende Lieke. Ze dachten beiden aan hun moeder, die hun zo onverwachts ontvallen was. Ze misten Marga dagelijks, vooral omdat ze met zijn allen zo intensief samenwerkten. Er ontbrak een schakel die niet op te vangen was.

'Het is inderdaad zaak zo veel mogelijk te genieten,' peinsde Noortje instemmend. 'Maar het heeft geen nut om voortdurend stil te staan bij dingen die kunnen gaan gebeuren. Dan heb je nooit meer een rustig moment, volgens mij.'

'Soms ben ik bang voor de toekomst,' bekende Lieke met een snelle blik om zich heen. Tegen haar tweelingzus durfde ze dit wel te zeggen, maar ze wilde niet dat iedereen het zou horen. Sjoerd en Froukje waren echter, al kibbelend, samen naar binnen gegaan. Gerda volgde hen met het dienblad vol serviesgoed. Barend ruimde samen met Leen de stoelen en kussens op. Mark was al eerder naar de keuken verdwenen, die had geen rust in zijn lijf en kon nooit lang stilzitten. 'Het loopt nu allemaal lekker, voor ons allemaal. Ik hoop dat dit zo blijft, maar op de gekste momenten vliegt het me ineens aan dat een dergelijk geluk niet voort kan blijven duren. Af en toe lig ik 's nachts gewoon wakker van het piekeren. Dan vraag ik me af wat de volgende grote ramp binnen onze familie wordt.'

'Dat lijkt me niet gezond. Aan tegenslagen zullen we heus niet meer ontkomen, maar die wend je niet af door er op voorhand over te piekeren,' zei Noortje.

'Dat weet ik heus wel,' reageerde Lieke enigszins kribbig. 'Met mijn verstand. Het is ook niet zo dat ik constant loop te tobben, het zijn echt van die vlagen. Dan zitten we met zijn allen bij elkaar en is het gezellig en dan vliegt het me ineens aan. Zomaar, vanuit het niets.'

'Dat is waarschijnlijk een overblijfsel van de schok die we gekregen hebben toen mama stierf,' dacht Noortje. 'Als je eenmaal zoiets meemaakt, zo volslagen onverwachts, kun je nooit meer echt onbevangen zijn, vrees ik. Als je zoiets hoort of leest denk je altijd dat dit alleen anderen overkomt, tot het jezelf een keer treft. Alle zekerheden die je denkt te hebben, vallen op zo'n moment weg. Toch moet je proberen jezelf daaroverheen te zetten, Liek. We hebben zo veel moois, het is jammer als je dat laat overschaduwen door angst voor de toekomst.'

'Zeg, dames, gaan jullie nog aan het werk?' informeerde Barend in het voorbijlopen. 'De pauze is om. Ook al is het hotel van onszelf, we kunnen ons niet aan onze taken onttrekken wanneer we daar zin in hebben.'

'Alsof we dat ooit doen,' reageerde Lieke verontwaardigd. Barend hoorde haar al niet meer, hij was rechtstreeks doorgelopen naar de receptie.

'Hij wordt er niet bepaald vrolijker op,' mopperde Lieke nog. Noortje keek haar even van opzij aan. 'Vind je dat gek?' vroeg ze zachtzinnig. 'Pa is het zwaarst getroffen door het overlijden van mama. Hij gaat zo goed mogelijk door en dat vind ik knap, maar reken maar dat hij zich er nog steeds verschrikkelijk beroerd onder voelt. Je partner verliezen is toch iets heel anders dan een ouder. Wij missen haar, maar ons leven is er niet wezenlijk door veranderd. We hebben allemaal ons eigen gezin, onze thuisbasis. Voor pa ligt dat anders. Zijn hele leven is in één klap overhoop gegooid. Ma was alles voor hem, dat weet je. Als je partner overlijdt, is je eigen leven nooit meer helemaal hetzelfde.'

Getroffen bleef Lieke staan. 'Het spijt me,' zei ze zacht. 'Jij hebt natuurlijk hetzelfde meegemaakt met Frits. Ik weet inderdaad niet hoe het voelt en eerlijk gezegd hoop ik daar ook nooit achter te komen.' Haar mond vertrok tot een scheef lachje. 'Klink ik nu erg egoïstisch?'

'Ik zou het vreemder vinden als je er anders over dacht,' grijnsde Noortje terug. 'Ik was een stuk jonger toen Frits overleed. We waren niet getrouwd en we hadden geen kinderen, dat maakt natuurlijk best een groot verschil, maar het verdriet was er inderdaad niet minder om. Voor mij was het echter makkelijker om mijn leven weer op te pakken dan het voor pa is.'

'Mede door Leen,' knikte Lieke begripvol.

Noortje beet op haar onderlip. Ze was dolgelukkig met haar man, maar werd niet graag herinnerd aan de begintijd van hun relatie. Leen had haar ontzettend goed opgevangen en geholpen na het overlijden van Frits en langzaam maar zeker was ze meer voor hem gaan voelen dan gerechtvaardigd was voor een aanstaande zwager. Veel meer. Dat die gevoelens wederzijds bleken te zijn, stemde haar gelukkig, maar betekende een groot verdriet voor Froukje. Het had dan ook lang geduurd voor de relatie tussen Noortje en Leen echt tot bloei was gekomen. Ze wilden en konden hun geluk niet bouwen op de puinhopen van Leens eerdere relatie. Het was een moeilijke tijd geweest, voor hen allemaal. Juist doordat ze zo intensief met elkaar samenwerkten, was de hele familie altijd betrokken bij alles wat er gebeurde en bemoeide iedereen zich ook overal mee. Dat was onvermijdelijk als je elkaar zo na stond.

'Laten we maar snel aan het werk gaan voordat pa ontploft,' zei ze zonder op Liekes opmerking in te gaan.

Terwijl Lieke in haar kantoortje achter de receptie verdween, liep Noortje de gang in die naar haar crèche leidde. In het voorbijgaan zwaaide ze naar Froukje in haar kapsalon. De crèche bestond uit twee ruime, zonnige vertrekken met daartussenin een klein kantoor waar Noortje haar administratie deed. In de ene ruimte werden de kinderen van personeelsleden opgevangen, de andere kamer was bestemd voor kinderen van gasten. Ze hadden het expres zo geregeld om het voor de kinderen van hun personeel overzichtelijk te houden. Die kwamen hier tenslotte voor langere tijd iedere dag of een aantal vaste dagen per week, terwijl de kinderen van de gasten kwamen en gingen met de regelmaat van de klok. Vaak kwamen dergelijke kinderen maar voor een paar uurtjes, als hun ouders even tijd voor zichzelf wilden hebben. Dat vroeg om een heel ander soort begeleiding dan vaste kinderopvang. Samen met haar medewerksters had Noortje er een dagtaak aan om alles goed te laten reilen en zeilen. Ze was trots op haar eigen afdeling, die ze zelf op poten had gezet. Als voormalig verpleegkundige zat het verzorgen haar in het bloed en ze was dan ook liever met de kinderen bezig dan dat ze haar administratie verzorgde, al hoorde dat er net zo goed bij. Na even om het hoekje gekeken te hebben of alles goed ging, trok ze zich dan ook terug in haar kantoortje. Ze zat daar nog maar net toen Leen binnenkwam.

'Heb jij nog plek voor een driejarig meisje, voor twee dagen per week?' informeerde hij. 'Ik heb net een sollicitatiegesprek met de moeder gehad. Ze wil hier graag komen werken, mits er plek op de opvang is, want zelf heeft ze geen oppas.'

'Dat moet lukken,' antwoordde Noortje terwijl ze een map naar zich toe trok en die opensloeg. 'Om welke dagen gaat het?'

'Maandag en donderdag. Karin komt in de plaats van Ineke, die heeft ontslag genomen. Ze zal wisselend ook in de weekenden werken, maar dan is haar man thuis voor hun dochter.'

'Ik schrijf haar meteen in,' beloofde Noortje. 'Per de eerste van de volgende maand zeker?'

Leen knikte en legde een briefje op het bureau. 'Dit zijn haar gegevens.'

'Efficiënt hoor,' grijnsde ze.

'Je kent me toch?' Hij lachte en gaf haar nog snel een zoen voor hij het kantoor uit liep. Noortje keek hem met een glimlach na. Het streven was om werk en privé zo veel mogelijk gescheiden te houden, al was dat in hun geval bijna onmogelijk. Elkaar kussen, veelbetekenende blikken uitwisselen of elkaar aanraken deden ze in principe nooit in het hotel, maar er waren momenten dat deze regels met voeten werden getreden. En ach, zolang ze alleen in haar kantoortje waren en er geen stoet medewerkers toe stond te kijken, was dat ook niet erg.

Na de dood van Frits had ze niet verwacht ooit weer gelukkig te worden, maar het was Leen zonder moeite gelukt. Hun band was enorm hecht. Met alles waar ze doorheen waren gegaan, wist ze dat niets hen ooit nog uit elkaar zou kunnen halen. Ze hielden van elkaar, konden met elkaar praten, lachen en vrijen, en ze respecteerden elkaar. Noortje klaagde niet als Leen weer eens langer doorwerkte dan afgesproken en op zijn beurt probeerde hij haar nooit tegen te houden in haar vrijwilligerswerk in het opvangcentrum voor verslaafden. Noortje werkte daar twee avonden per week en een weekend per maand, en bovendien ging de rente van haar kapitaal rechtstreeks naar het centrum toe. Hoewel haar vrijwilligerswerk ten koste ging van de tijd die ze samen door konden brengen, had Leen haar nooit gevraagd daarmee te stoppen. Evenmin maakte hij bezwaar tegen haar financiële steun aan het tehuis. Het was haar geld, daar moest ze mee doen wat ze zelf wilde, was zijn oordeel. Wat dat betrof had ze het enorm getroffen met hem en daar was Noortje zich ook van bewust. Ze nam hun relatie nooit voor lief, maar was dankbaar voor wat ze had en nam bewust de tijd om daarvan te genieten.

Door deze gedachte schoot het gesprek met Lieke haar weer te binnen. Een gesprek dat zij, Noortje, wel erg abrupt had afgebroken, bedacht ze schuldbewust. Ze moest het er toch nog eens met Lieke over hebben, want het was niet goed als die met dergelijke angstige gedachten rond bleef lopen.

Impulsief pakte ze de telefoon om haar tweelingzus te bellen, al bevond die zich slechts op enkele tientallen meters afstand in hetzelfde gebouw.

'Met mij,' zei ze zodra Lieke had opgenomen. 'Zeg, nog even over daarnet, er zat zo'n raar eind aan ons gesprek. Weet je zeker dat het verder goed met je gaat?'

Lieke begon te lachen. 'Jij piekert volgens mij meer dan ik,' grinnikte ze. 'Oude tobberd. Het gaat prima met me, daar hoef je helemaal niet bang voor te zijn. Er zullen ongetwijfeld meer mensen zijn die af en toe last hebben van ongegronde angsten.'

'Ik niet,' zei Noortje eerlijk.

'Dat komt omdat jij meer hebt meegemaakt. Jij weet al hoe het voelt als je hele wereld instort, ik heb daar persoonlijk geen ervaring mee. Ik ben dolgelukkig met David en...' Ze stokte, wat Noortje niet ontging.

'En wat?' vroeg ze gespannen. 'Ben je soms zwanger?'

'Nog niet,' antwoordde Lieke met een klein lachje. 'Maar we hebben pas besloten dat wel te proberen. Niet verder vertellen, hoor. Ik wilde het juist stil houden om niet iedere maand die onderzoekende blikken te moeten ondergaan. Jij bent nu de enige die het weet.'

'Ik ben ook de enige die daarvoor in aanmerking komt,' meende Noortje totaal onbescheiden.

'Uiteraard,' lachte Lieke. 'Als je je mond maar houdt. En maak je vooral geen zorgen om mij. Waarschijnlijk zijn het mijn hormonen die opspelen nu ik de pil niet meer slik.'

Ze verbraken de verbinding en Lieke bleef nog even met de telefoonhoorn in haar hand zitten. Echt iets voor Noortje om terug te komen op hun eerdere gesprek. Ze was altijd snel bezorgd over andermans welzijn. Niet voor niets deed ze al jarenlang dat vrijwilligerswerk in het opvangcentrum. Iets wat zij, Lieke, absoluut niet zou kunnen. Ze was eerlijk genoeg om dat toe te geven. Zij schonk regelmatig een som geld om haar geweten op dat gebied te sussen, maar daadwerkelijke hulp kwam er niet uit haar handen.

Ze was toch blij dat ze haar geheim nu met iemand gedeeld had. Met wie kon ze dat trouwens beter doen dan met haar tweelingzus? De hele familie Nieuwkork was hecht, maar wat zij en Noortje samen hadden, ging net een stapje verder. Voordat Lieke met David trouwde, hadden zij en Noortje een tijd een flat gedeeld en dat was altijd prima gegaan. Wederzijdse geheimen waren veilig bij elkaar, dat wisten ze. Dit geheim dus ook. Lieke had er zelf waarschijnlijk meer moeite mee om het voor zich te houden dan Noortje zou hebben. Een jaar geleden was het nog ondenkbaar geweest dat ze haar werk op een lager pitje zou zetten om een kind te krijgen, nu kon ze bijna niet wachten tot het zover was. Haar eigen bedrijfje was altijd voorgegaan bij haar, tot ongenoegen van David. Ze hadden er heel wat ruzies over gehad in het verleden. Lieke weigerde iemand aan te nemen om zichzelf te ontlasten, omdat het bedrijfje de kosten voor een personeelslid nog niet kon dragen en ze dat geld niet uit eigen zak wilde betalen. Koppig had ze een tijdje volgehouden dat het bedrijf eerst rendabel moest zijn voor ze zich hulp kon permitteren. David zag dat anders, hij meende dat ze vrije tijd kocht door iemand in te huren, dus dat ze dat prima van haar privékapitaal kon doen. Uiteindelijk was Lieke overstag gegaan en sindsdien werkte Daphne bij haar. Het had hun huwelijk gered, wist ze. Plotseling verlangde ze hevig naar David. Aan haar broer en zussen zag Lieke dat het niet altijd prettig was om met je partner samen te werken en elkaar de hele dag tegen te komen, maar het had zeker ook voordelen. Een daarvan was dat je nooit ver van elkaar verwijderd was. Zij kon David nooit zomaar even opzoeken in zijn kantoor of hem een kushandje toewerpen omdat ze hem toevallig achter de balie zag staan. Als enige telg uit het gezin Nieuwkerk wiens partner niet in het hotel werkte, nam ze wat dat betrof een uitzonderingspositie in.

Ze pakte haar mobiel en toetste zijn nummer in. Hij nam onmiddellijk op. 'Is er iets aan de hand?' vroeg hij bezorgd. 'Je belt nooit overdag.'

'Ik verlangde ineens naar je,' bekende Lieke.

David grinnikte. 'Dat is altijd prettig om te horen. Verder alles goed?'

Ze hoorde de gespannen ondertoon in zijn stem en schoot in de lach. Het was niet moeilijk te raden wat hij dacht. 'Nee schat, ik ben nog niet zwanger. Je lijkt Noortje wel, die dacht dat ook meteen.'

'Je hebt het haar verteld,' concludeerde hij. 'Dat was niet de afspraak, Lieke.'

'Noortje is de uitzondering op de regel, ik heb geen geheimen voor haar,' verdedigde Lieke zichzelf.

'Dat had ik kunnen weten, ja. Lief dat je even belde, maar ik sta op het punt naar een bespreking te gaan. Ben je op tijd thuis vanavond?' wilde David weten.

'Ja, rond zessen,' antwoordde Lieke met een blik op de opengeslagen agenda voor haar.

Ze hingen op en David keek met een peinzende blik voor zich uit. Lieke had het dus toch niet voor zich kunnen houden, net wat hij al gevreesd had. Hij mocht zijn schoonfamilie graag, maar werd af en toe wel dol van de hechte band die Lieke met hen had. David had niet altijd het gevoel dat hij nummer één was bij haar, wat hij wel wilde. Hij was niet zo'n familiemens als zijn vrouw.

Maar als we eenmaal kinderen hebben, wordt het vanzelf anders, dacht hij toen optimistisch. Dan zou Lieke ongetwijfeld minder gaan werken en dus automatisch minder in het hotel en bij haar familie zijn. Dan kwam hun eigen gezin op de eerste plaats. Hij kon niet wachten tot het zover was.

HOOFDSTUK 2

Met de winter voor de deur werd er in hotel Margaretha hard gewerkt. De kerstdagen vroegen altijd enorm veel voorbereidingen, vooral voor Lieke. Zij had zich van het begin af aan voorgenomen er ieder jaar onvergetelijke kerstdagen van te maken voor de gasten die op dat moment in het hotel aanwezig waren. Dit was ook altijd Marga's stokpaardje geweest. 'Mensen gaan niet voor niets tijdens de kerstdagen in een hotel zitten. Die vinden thuis niets,' placht ze te zeggen. 'Het is onze taak ze toch prettige dagen te geven, waar ze met een goed gevoel op terug kunnen kijken.'

Lieke had die woorden ter harte genomen. Ze zorgde ieder jaar voor een schitterende kerstversiering, organiseerde een speciaal diner met livemuziek en regelde ieder jaar een andere uitvoering van het aloude kerstverhaal. Dat deze inspanningen gewaardeerd werden, was wel duidelijk. Was het tijdens het eerste kerstfeest sinds de opening van het hotel nog erg rustig, tegenwoordig zaten ze voor ruim de helft volgeboekt. Sommige gasten kwamen iedere kerst terug omdat ze het in het hotel gezelliger vonden dan thuis, waar ze toch nooit aanloop kregen.

Dit jaar was de verwachting dat het een witte kerst zou worden en speciaal daarvoor had Lieke een tocht met een arrenslee georganiseerd. Bij tegenvallende weersomstandigheden zou die worden vervangen door een huifkartocht. In de bossen rondom het hotel was genoeg natuurschoon om volop van te genieten tijdens een dergelijke tocht.

Op eerste kerstdag werkte de hele familie Nieuwkerk, inclusief David. Dat was inmiddels een traditie geworden die hen uitstekend beviel. De kapsalon van Froukje, de crèche van Noortje en de winkel van Sjoerd en Anneke waren die dag uiteraard gesloten, maar iedereen stak zijn handen uit de mouwen in de bediening, achter de balie en in de keuken. Op deze manier konden zo veel mogelijk personeelsleden op eerste kerstdag vrij krijgen. De tweede dag hield de familie voor zichzelf. Dan vertoonden ze zich niet in het hotel, maar vierden ze het kerstfeest bij een van hen thuis. Met zijn allen, dat dan weer wel. David was de enige die daar weleens tegen protesteerde. 'Je ziet je familie het hele jaar door al iedere dag,' had hij ooit aangevoerd.

Lieke was echter onwrikbaar waar het de kerst betrof. Iedere andere feestdag wilde ze met liefde alleen met haar echtgenoot doorbrengen, maar 26 december was een familiedag. De enige dag in het jaar dat ze samen waren buiten het hotel, was haar argument. Hij had zich erbij neergelegd en ging trouw ieder jaar mee, al arriveerden ze altijd als laatsten en gingen ze na het diner vrijwel meteen weer weg. Dit jaar zou het niet anders gaan, wist hij.

Een tikje somber keek hij om zich heen in de grote eetzaal die, ook net als ieder jaar, door de hele familie versierd werd. In de avonduren, want uiteraard konden ze pas na het diner terecht, als de gasten verzadigd waren en zich hadden teruggetrokken op hun kamers of in de foyer.

'Wil jij deze lichtjes in die boom bevestigen?' vroeg Lieke. Ze overhandigde hem een snoer, wat ze zojuist uit de knoop had gehaald. 'Als jij aan die kant begint te hangen, houd ik deze kant vast voordat weer alles in de war raakt. Sjoerd en Leen doen de andere boom en Anneke hangt straks de ballen en slingers erin, dus dan kunnen wij de andere verlichting regelen.'

'U zegt het maar, mevrouw,' zei David spottend terwijl hij op een trap klom om boven in de enorme boom te beginnen.

Vanaf de grond keek Lieke naar hem op. 'Je blijft het maar niks vinden, hè?' merkte ze op. 'Eerlijk gezegd dacht ik dat je wel over je aversie heen zou groeien wat de feestdagen betreft.'

'Ik vind de kerst heerlijk,' verbeterde David haar. 'Het is alles eromheen wat me stoort. Het gekleef aan je familie, onder andere. Enfin, dat weet je, het heeft geen nut om daar ieder jaar een hele discussie over op te zetten. Net als het werken op eerste kerstdag. Dat is echt zo'n dag om met je geliefde onder de boom te zitten en lekkere dingen te eten terwijl de kamer verlicht wordt door kaarsen en er een kerstmuziekje op de achtergrond klinkt.'

'Hè bah, David. Je kijkt te veel sentimentele kerstfilms,' beschuldigde Lieke hem lachend. 'Het is hier toch ook altijd gezellig op die dag?'

Hij trok met zijn schouders, een manoeuvre die hem bijna van de trap deed vallen. 'Ik word min of meer verplicht in het hotel te werken op mijn vrije dag,' weerlegde hij dat.

'Je bent helemaal nergens toe verplicht, je hebt het destijds zelf aangeboden.'

'Anders zie ik je helemaal niet op eerste kerstdag. Hoe je het ook wendt of keert, ik moet me met de feestdagen altijd aan jou, je familie en het hotel aanpassen. En hoe leuk het ook is onder elkaar, ik wil ook weleens samen met mijn vrouw zijn en romantisch met zijn tweeën aan het kerstdiner zitten.'

'Laten we dat op kerstavond doen,' stelde Lieke voor. 'Dan kan Daphne de boel hier regelen en gaan wij er samen vandoor.'

'Meen je dat?' Davids ogen lichtten op bij dit vooruitzicht. Hij wist zelf ook wel dat hij stevig kon zeuren over dit onderwerp, maar het zat hem echt hoog. Vroeger werd hij iedere kerst door zijn ouders meegesleept naar diverse familieleden, ze hadden thuis niet eens een boom staan omdat ze de feestdagen toch altijd bij anderen doorbrachten. Hij had zich toen voorgenomen het zelf anders te doen als hij eenmaal volwassen was. Die volwassen status had hij al een goed aantal jaren geleden bereikt, maar bij gebrek aan een partner was de kerst altijd min of meer ongemerkt aan hem voorbij gegaan. Het interesseerde hem nooit genoeg om er echt werk van te maken. Nadat hij Lieke had ontmoet, werd dat anders. Sindsdien had hij andere verwachtingen van de feestdagen, verwachtingen die door het vele werk dat een hotel nu eenmaal met zich meebracht nooit verwezenlijkt werden. Niet alleen door het hotel, overigens. De familie slokte hen ook op en Lieke leek daar nooit nee tegen te kunnen zeggen.

'Op kerstavond is het hier toch redelijk rustig,' zei Lieke. 'Er zijn wat lekkere hapjes en er wordt een kerstfilm vertoond. Later op de avond is er gelegenheid tot dansen voor wie dat wil, maar er wordt niet echt uitgepakt. Daphne kan dat wel aan, ze is inmiddels aardig ingewerkt.'

Als er echt een evenement was geweest, had Lieke dit voorstel dus nooit aan hem gedaan, begreep David een beetje wrang. Enfin, hij moest niet op iedere slak zout gaan leggen.

'Fijn,' zei hij warm. 'Ik verheug me erop.'

'Ik ook.' Lieke lachte naar hem. 'Dit zou weleens onze laatste kerst met zijn tweeën kunnen zijn. De kans zit er dik in dat er volgend jaar om deze tijd een klein wezentje is dat onze aandacht opeist.'

'Konden we dat maar zeker weten. Het duurt toch al een aantal maanden, misschien wordt het eens tijd om naar een dokter te gaan,' meende David.

Lieke lachte hem hartelijk uit. 'Je bent gek. We zijn pas drie maanden bezig, dat is nog helemaal niets. Gemiddeld duurt het zo'n negen maanden voordat een vrouw zwanger raakt en pas na minimaal een jaar stuurt een huisarts je door naar een gynaecoloog. Voorlopig hebben wij dus nog wel even te gaan.'

'In dat geval ga ik extra mijn best doen,' beloofde David.

'Dat lijkt me een uitstekend plan.'

Ondanks dat hij nog op de trap stond en Lieke op de vloer, vonden hun ogen elkaar. Even leek het of ze alleen op de wereld waren, ondanks de drukte om hen heen.

Noortje, aan de andere kant van de zaal bezig de kerstversieringen te sorteren zodat iedere boom zijn eigen kleur had, keek belangstellend toe. Die twee waren even verloren voor de rest van het gezelschap, begreep ze. Het was voor haar niet moeilijk te raden waar ze over spraken.

Sinds Lieke het haar verteld had, was Noortje er in gedachten voortdurend mee bezig. Ze moest zich beheersen om haar niet iedere maand te vragen of het al zover was. Het leek haar heerlijk, weer zo'n kleintje in de familie. Marja van Sjoerd en Anneke, de jongste, was alweer twee jaar. Een hele peuter die al praatte in kleine zinnetjes en die voortdurend in de gaten moest worden gehouden omdat ze overal op klom en weer af viel. Omdat Marja twee dagen per week in de crèche doorbracht, zag Noortje haar nichtje heel vaak, en ze vond de ontwikkeling die een kind doormaakte van totaal afhankelijke baby tot zelfstandige peuter ontzettend interessant. Juist doordat Marja vaak in de crèche aanwezig was, had Noortje met haar een heel andere band dan ze vroeger met Charity en Damian had gehad. Die zag ze veel minder vaak, waardoor voor haar gevoel de ontwikkeling meer in grote stappen ging.

Als Lieke straks een baby had, zou die waarschijnlijk ook een gedeelte van de week ondergebracht worden in de crèche, mijmerde Noortje. Haar handen, net nog volop bezig, lagen nu stil en ze staarde peinzend voor zich uit. Met een kindje van Lieke zou ze weer een heel andere band hebben, dat wist ze al van tevoren. Nog hechter. Lieke stond zo dicht bij haar. Een baby van haar tweelingzus zou wellicht zelfs een beetje aanvoelen als een baby van haarzelf. Bij die gedachte stokte ze.

'Zou je niet eens doorwerken?' informeerde Leen lachend. Hij dook plotseling naast haar op. 'Je staat hier maar een beetje voor je uit te staren. Waar zit je met je gedachten?'

Langzaam draaide Noortje haar gezicht in zijn richting. Haar wangen gloeiden ineens. 'Bij een baby van ons,' flapte ze er zonder nadenken uit.

'Hè?' Zijn mond zakte open. 'Hoe kom je daar nu ineens bij?'

'Zou je dat niet leuk vinden?'

'Lieverd, het zou geweldig zijn, maar vind je dit echt een onderwerp om tussen de kerstballen door, in een rommelige zaal, te bespreken? Iedereen is hard aan het werk, je wilt er toch niet tussenuit glippen om onmiddellijk aan die baby te beginnen?'

'Nou...' Ze keek hem ondeugend aan. 'Dat is vast veel leuker dan een eetzaal versieren.'

'Dat ben ik met je eens, maar laten we het voor vanavond toch maar bij versieren houden,' merkte Leen verstandig op, al spraken zijn ogen een andere taal. 'Hoe kom je daar zo op?'

'Ik weet niet,' zei Noortje niet helemaal naar waarheid. Ze had Lieke beloofd het aan niemand te vertellen en daar hield ze zich dan ook tegenover Leen aan. 'Het kwam zomaar bij me op. Gek, want ik heb er nog niet eerder serieus over nagedacht, maar het lijkt ineens heel logisch.'

'Ik wil heel graag kinderen met jou,' verzekerde Leen haar. 'Dus van mijn kant hoef je geen bezwaren te verwachten. Het zal alleen een heel geregel worden met ons werk, verkijk je daar niet op. We hebben nu eenmaal geen negen-tot-vijfbaan.'

'Dat lost zich wel op,' meende Noortje vol vertrouwen. 'Het

lukt Sjoerd en Anneke tenslotte ook. Het wordt trouwens wel eens tijd dat die versterking krijgen op kindergebied. Ze lopen mijlen op de rest voor. Tegen de tijd dat een kind van ons naar de basisschool gaat, zitten Damian en Charity al op de middelbare.'

'Dat betekent dus werk aan de winkel voor ons,' begreep Leen lachend. 'Maar niet nu, lieve schat. Nu ga je verder met uitzoeken, zodat Anneke de bomen kan versieren. In dit tempo zijn we morgenochtend nog niet klaar en ik moet zeggen dat ik toch blij zal zijn als we hier weg kunnen. Mijn bed roept me.'

'Nee, dat is mijn vader,' giechelde Noortje. Ze zag Barend hun kant op kijken en driftig naar Leen wenken. 'Ga maar gauw naar hem toe, volgens mij heeft hij een probleem.'

Ze keek hem dromerig na. Zo simpel kon het dus gaan in het leven. Niks geen ellenlange discussies, het afwegen van de voor- en de nadelen of maandenlang getwijfel of dit wel het goede besluit op het juiste moment was. Binnen twee minuten was de beslissing gevallen, zonder gezeur. Eigenlijk had ze ook niet anders verwacht. Leen en zij zaten met alles op één lijn, het was geen seconde bij haar opgekomen dat hij er anders over zou denken dan zij.

Noortje popelde van verlangen om dit nieuws met Lieke te delen. Die zou het ongetwijfeld geweldig vinden dat ze tegelijkertijd voor zoiets belangrijks kozen. Hoewel dat eigenlijk helemaal niet zo verwonderlijk was. Ondanks dat ze in veel opzichten van elkaar verschilden, hadden ze altijd de grote dingen gedeeld. Het zou fantastisch zijn als ze ook hun zwangerschappen konden delen, fantaseerde Noortje al bij voorbaat. Samen naar de verloskundige, samen de uitzet bij elkaar kopen, samen klagen over de onvermijdelijke kwaaltjes die bij een zwangerschap hoorden. Misschien zouden er volgend jaar wel twee wiegjes in de zaal staan, waar hun baby's in konden slapen terwijl zij met de kerstversieringen bezig waren, net zoals Marja nu in een ledikantje heerlijk lag te slapen, dwars door alle drukte heen. Damian en Charity holden tussen de mensen door om te helpen, wat overigens meer last gaf dan gemak. Over een paar jaar zouden de kinderen van haar en Lieke dat dan ook doen. Lekker in de weg lopen, spullen uit hun handen laten vallen en dingen wegleggen waar vervolgens anderen weer naar moesten zoeken, allemaal onder het mom van hulp. Noortje zag het al helemaal zitten.

Op dat moment zag ze echter geen kans om Lieke deelgenoot te maken van haar plannen; daar was het te druk voor. De grote eetzaal was bevolkt met mensen die probeerden de ruimte om te toveren tot een echt kersttafereel. Iets wat wonderlijk goed lukte, moesten ze na een paar uur hard werken toegeven. De drie enorme kerstbomen in de hoeken hadden allemaal een ander kleurenschema. Eentje was er overwegend goud met enkele gekleurde accenten, de tweede was helemaal in blauwtinten gehouden en de derde boom was rood en wit. In plaats van de geijkte ballen, was deze boom volgehangen met alleen grote rozen, wat een heel bijzonder effect gaf. Aan de plafonds hingen zilveren en gouden kerststerren en langs één wand had Lieke een kerstdorp opgesteld, compleet met lichtjes. Bij de deur stond een levensgrote kerstman met naast hem Rudolf, het rendier met de opvallende, rode neus. Het zag er allemaal schitterend uit.

'Nu alleen nog rode kleedjes over de tafels en de kerststukjes erop zetten,' bedisselde Lieke. 'Dan is het echt helemaal af.'

'Dat doen jullie maar, ik hou het voor gezien,' verkondigde Sjoerd. Charity leunde tegen hem aan, haar wangen rood van de slaap. 'Wij gaan naar huis.'

'Er moet anders ook nog opgeruimd worden,' zei Froukje, wijzend naar de vloer die bezaaid lag met lege dozen, stukken plastic en piepschuim.

'Morgen ben ik weer vroeg van de partij, maar Damian en Charity moeten nu echt hun bed in, die redden het niet meer. Ga je mee, Anneke?' Hij hielp zijn vrouw in haar jas en tilde Charity op om haar naar de wagen te dragen.

'Lekker makkelijk,' mopperde Froukje. 'Wel de leuke klusjes doen, maar een ander voor de troep op laten draaien. Zo kan ik het ook.'

'Hij heeft nu eenmaal kinderen en het is al erg laat voor hen,' nam Barend het voor zijn zoon op.

'Dan had hij ze thuis moeten laten,' hield Froukje vol. 'Op deze manier hebben we weinig aan hem.'

'Dat is onzin, Froukje, hij heeft de hele avond keihard gewerkt,' wees Barend haar terecht.

'Wij allemaal. Ik ben ook moe.'

'Niet zeuren,' kwam Lieke nu. 'Nog even de schouders eronder, jongens, dan zijn we over een halfuurtje klaar.'

Onder haar leiding werd alle troep nu snel opgeruimd. Als laatste veegden Noortje en Froukje de vloer, zodat alles klaar was om de volgende ochtend hun gasten voor het ontbijt te ontvangen. Tevreden keken ze om zich heen.

'Mooi hè, pap?' zei Lieke voldaan tegen Barend.

Hij knikte afwezig. Ja, het was inderdaad mooi, daar kon niemand iets op afdingen. Maar wel leeg. Alles voelde nog steeds leeg zonder Marga. Dit werd de derde kerst die ze zonder haar moesten vieren. Zou het ooit wennen? Hij betwijfelde het. Marga was altijd de spil van hun gezin geweest. Ze was nog maar net van school af geweest toen ze trouwden omdat Sjoerd zijn komst had aangekondigd. Een baan buiten de deur had ze nooit gehad en ook niet geambieerd, ze was moeder en huisvrouw in hart en nieren. Met weemoed dacht hij terug aan de feestdagen van vroeger, met hun vier kleine kinderen die vol bewondering naar de eenvoudige boom opkeken. De geur van de rollade die Marga steevast klaarmaakte op eerste kerstdag, kon hij bijna weer ruiken. Ze hadden het altijd thuis met hun eigen gezin gevierd, pas op tweede kerstdag werden hun wederzijdse ouders bezocht. Behoefte aan visite hadden ze nooit gehad.

Het leven was goed geweest toen. Niet altijd even makkelijk met de eeuwige geldzorgen die hen kwelden, maar ze waren wel gelukkig geweest met elkaar. Dat was een gemoedstoestand die hij nu al heel lang niet meer had gevoeld. Tegenwoordig voerde eenzaamheid de boventoon in zijn leven, ondanks zijn kinderen, schoonkinderen, kleinkinderen en de vele gasten waar hij dagelijks door omringd werd. Niemand in zijn omgeving wist hoe hij zich werkelijk voelde. Hij deed dan ook alle mogelijke moeite om dat niet te laten merken. Zijn verdriet was zijn probleem, vond hij. Daar hoefde hij anderen niet mee lastig te vallen. Hij ging dan ook zo normaal mogelijk door, deed zijn werkzaamheden in het hotel en speelde met zijn kleinkinderen zoals hij vroeger met zijn eigen kinderen had gedaan, maar hij droeg voortdurend die dodelijke eenzaamheid met zich mee. Barend was niet levensmoe, maar hij zou het ook niet erg vinden als het hier stopte voor hem. Zo mooi als het was geweest, werd het toch nooit meer. Zijn hoogtepunten waren voorbij.

Met gebogen schouders slofte hij naar zijn auto, nadat hij alles had afgesloten en de nachtportier de nodige instructies had gegeven. Hij was moe. Tegenwoordig bracht hij de meeste avonden thuis op de bank door, dus zo'n hele avond doorwerken betekende een behoorlijke aanslag op zijn energie. Misschien dat hij dan eindelijk weer eens een nacht gewoon kon doorslapen, hoopte hij. Sinds Marga's overlijden was dat hem nog maar zelden gelukt. Meestal werd hij twee of drie keer wakker 's nachts. Op zich waren dat prettige momenten, omdat hij dan steeds dacht dat Marga naast hem lag. Het besef van de realiteit kwam echter meteen daarna opzetten, waarna het verdriet en het gemis dubbel zo hard toesloegen.

Ze zou nooit meer gewoon naast hem liggen. Nooit meer. De oneindigheid van die twee woorden vloog hem af en toe naar de keel.

Automatisch reed hij door de donkere nacht naar huis, pas bij de inrit van zijn villa bemerkend dat hij zijn bestemming had bereikt. Gerda sliep blijkbaar al, want het huis staarde hem donker aan, zonder één enkel lichtpuntje. Met een diepe zucht stapte hij uit. Wat zou het fijn zijn als Marga nu binnen op hem zat te wachten, zodat ze samen nog iets konden drinken voor ze naar bed gingen. De villa was echter leeg en doodstil. Gerda had kerstversiering aan willen brengen, maar dat had hij kortaf geweigerd. In het hotel moest hij wel, maar thuis had hij geen enkele behoefte aan opsmuk. Kerstversiering hoorde bij gezelligheid, feestelijkheid en saamhorigheid. Drie zaken waar hij niets meer mee had, al deed hij zijn best.

Waren de feestdagen maar vast voorbij.

HOOFDSTUK 3

Kerstavond brak aan. Lieke regelde nog haastig de laatste zaken voor ze naar huis ging om zich om te kleden voor het diner met David.

'Ga nu maar, ik red het heus wel,' zei Daphne. 'Wat kan er eigenlijk misgaan?'

'Weinig tot niets,' moest Lieke toegeven.

Desondanks kostte het haar moeite om de deur achter zich dicht te trekken. Op dergelijke avonden was ze er altijd het liefst zelf bij. Ze was nu eenmaal geen gewone werknemer. Dit bedrijfje was van haar en het hotel was gedeeltelijk van haar. Zeker bij bijzondere gelegenheden, zoals kerstavond, wilde ze er zelf bij zijn om te zorgen dat alles tot in de puntjes geregeld was. Als ze niet getrouwd was geweest, had ze waarschijnlijk vierentwintig uur per dag in het hotel doorgebracht, zo betrokken voelde ze zich bij haar werk. Niet dat ze David op zou willen geven voor haar werk, trouwens, zo ver ging het ook weer niet. Destijds was ze meteen voor zijn charmes gevallen. Wat haar betrof was het liefde op het eerste gezicht geweest. Een lastige situatie, want hij was toen verloofd en wilde Lieke inhuren om zijn bruiloft te organiseren. Net op tijd was hij tot het besef gekomen dat zijn verloving niet veel voorstelde en dat het Lieke was van wie hij hield.

De paar jaar die sindsdien verstreken waren, waren zeker niet zonder strubbelingen verlopen, maar ze hielden genoeg van elkaar om die stormen het hoofd te bieden. David, die acht jaar ouder was dan Lieke, wilde graag een gezin met de daarbij behorende huiselijkheid, terwijl Lieke er niet aan moest denken om minder te gaan werken. Hij had haar weleens verweten dat ze met haar werk was getrouwd, waarna zij hem op haar beurt voorhield dat hij ouderwets en bekrompen was. Het had even geduurd voor ze daar een middenweg in hadden gevonden. Sinds Lieke Daphne had aangenomen ging het beter, en daarnaast zorgde ze ervoor dat ze wat vaker water bij de wijn deed, zoals vanavond. David offerde zijn eerste kerstdag altijd voor haar en het hotel op, daar moest iets tegenover staan. Op deze manier zeilden ze aardig tussen de klippen door en lukte het hen om hun huwelijksbootje op koers te houden. De tijd hielp ook mee. Nu ze ouder was en zelf naar kinderen begon te verlangen, was er een nieuwe dimensie in hun relatie bij gekomen en groeiden ze meer naar elkaar toe.

Eenmaal thuis kreeg Lieke steeds meer zin in het etentje. David had gereserveerd in een exclusief restaurant, dus koos ze haar kleding voor die avond met zorg uit. Geen zwart, ze ging voor kleur met een koraalrood jurkje dat haar fantastisch stond. Tijdens het douchen en aankleden zette ze bewust alle gedachten aan het hotel uit haar hoofd. Als er echt grote problemen waren, zouden ze haar ongetwijfeld bellen, dus zolang haar mobiel zijn melodietje niet liet horen, hoefde ze zich daar niet mee bezig te houden.

Ze genoot van de warme douche na de lange, drukke werkdag die achter haar lag. Twee bedrijven hadden haar benaderd voor het organiseren van een nieuwjaarsfeest. Heel leuke opdrachten, maar behoorlijk arbeidsintensief. Samen met Daphne kon ze de drukte op dit moment maar net aan. Ze wist echter ook dat er nu weer een rustige tijd aan zou komen, zoals ieder jaar in februari en maart.

David liet op zich wachten. Hoewel het kerstavond was en de kantoren vandaag vroeger hun deuren sloten dan anders, kwam hij een halfuur later dan gewoonlijk pas binnen. Lieke zat al helemaal opgedoft te wachten, ze had vast een glas wijn voor zichzelf ingeschonken.

'Sorry, we hadden op het laatste moment nog even een crisis,' verontschuldigde hij zich.

'Ik begon al spijt te krijgen dat ik zo vroeg met werken was gestopt vandaag,' plaagde Lieke. 'Eigenlijk zat ik me net af te vragen of ik niet beter terug kon gaan.'

'Absoluut niet.' Hij drukte haar stevig tegen zich aan. 'Vanavond ben je helemaal van mij. We doen even net of er geen hotel en geen familie bestaat.'

Dat was iets wat Lieke niet voor elkaar kreeg, maar toch genoot ze van de avond. Het gebeurde maar zelden dat ze echt uitgingen met zijn tweeën. De avonden waarop ze geen afspraken buiten de deur hadden, bleven ze het liefst thuis in hun grote, gezellige appartement.

'Binnenkort kan het helemaal niet meer, dus laten we het er maar extra van nemen,' zei David toen ze tegenover elkaar zaten aan een tafeltje in het restaurant. Hij hief zijn glas naar haar op.

'Er bestaat nog zoiets als kinderoppas, hoor,' glimlachte Lieke. 'Ik ben in ieder geval niet van plan om kluizenaar te gaan spelen als ik eenmaal moeder ben.'

'Toch wordt het anders. Rustiger, denk ik.'

'Of niet.' Ze grinnikte. 'Misschien krijgen wij wel een kind dat de hele dag huilt. Of een baby die overdag heerlijk slaapt, maar 's nachts vier keer wakker wordt. In ieder geval hebben we wel het voordeel dat we niet hoeven te haasten en stressen om de baby op tijd op de crèche af te leveren en op te halen. Ik kan hem of haar gewoon mee naar mijn werk nemen en vervolgens bij Noortje afleveren. Tussen mijn werk door kan ik ook af en toe binnenwippen om te knuffelen.'

'Je bent dus nog steeds niet van plan om te stoppen?' vroeg David. Het moest luchtig en plagend klinken, maar dat lukte hem niet helemaal. Er lag een gespannen, verwachtingsvolle ondertoon in zijn stem die Lieke niet ontging.

'Je weet wel beter,' zei ze stug. Deze discussie hadden ze vaker gevoerd de laatste tijd. David zou het liefst zien dat ze helemaal stopte met werken om zich op haar gezin te richten, een scenario waar Lieke niet aan moest denken. Ze was bereid offers te brengen voor een kind en desnoods wilde ze de dagelijkse leiding uit handen geven, maar compleet stoppen was absoluut geen optie voor haar. Ze wist zeker dat ze doodongelukkig zou worden als ze de hele dag thuiszat, met alleen een baby als gezelschap. Het huishouden was niet bepaald haar grootste hobby en aan koken had ze een hekel, dus huisvrouw zou ze al nooit worden. Het was bovendien niet meer van deze tijd dat een vrouw haar eigen leven op moest geven om voor de kinderen te zorgen. Ze had alle respect voor vrouwen die deze keuze wel maakten, zolang het tenminste een vrije keuze was en niet werd opgedrongen. Ze zag het zichzelf echter niet doen. In hun geval was het ook zeker niet nodig. Ze had de crèche van het hotel, met nota bene haar eigen tweelingzus als leidster. Een betere plaats om haar kind onder te brengen gedurende de uren die ze werkte kon ze niet verzinnen. Menig moeder was waarschijnlijk jaloers op haar vanwege de vele mogelijkheden die ze had.

'Maar je gaat toch wel minder werken?' drong David aan. 'Drie dagen per week of zo. Het moet niet zo zijn dat onze baby vijf dagen per week in een crèche door moet brengen omdat jij niet bereid bent iets in te leveren.'

'Ik?' vroeg Lieke scherp. 'Als ik me niet vergis, krijgt ons kind ook een vader. Waarom ga jij niet minder werken om twee dagen in de week thuis met ons kind door te brengen?'

'Dat is in mijn functie niet mogelijk,' antwoordde hij afwerend.

'In de mijne ook niet. Jij bent werknemer, dus je kunt makkelijker een stap terug doen in functie dan ik. Ik ben eigenaar, directeur en heb de algemene leiding in handen,' daagde Lieke hem uit. 'Het is wel heel erg ouderwets om de verantwoording op mijn schouders te leggen, simpelweg vanwege het feit dat ik een vrouw ben.'

'Waarschijnlijk wel, ja,' gaf David toe. 'Aan de andere kant is het voor jou makkelijker te regelen, juist omdat je eigen baas bent. Jij kunt minder gaan werken, maar toch hetzelfde werk blijven doen. Als ik twee dagen ga minderen, zak ik meteen een aantal niveaus.'

'Heb je dat niet over voor je eigen zoon of dochter?' vroeg Lieke enigszins snibbig. De kant die het gesprek op ging beviel haar helemaal niet, vooral niet omdat ze moest bekennen dat David een goed punt had. Ze wilde zich echter niet zonder meer in de hoek laten drukken van de meest verzorgende ouder. Zo'n traditioneel rollenpatroon was niets voor haar. Ze wilde het samen met David doen, op een gelijkwaardige basis.

'Behalve in niveau scheelt het ook in salaris.'

'Dat is iets waar wij ons geen zorgen over hoeven maken, dus dat argument geldt niet,' weerlegde Lieke dat. 'Als wij een kind hebben, zul jij net zo goed je aandeel moeten leveren, David. De verzorging komt niet automatisch op mijn schouders neer, we zijn samen verantwoordelijk. Ben jij daartoe bereid?'

'Liever niet,' antwoordde hij eerlijk. 'Mijn baan bevalt me uitstekend zoals het is.'

'Maar je verwacht wel van mij dat ik mijn werk, of althans een gedeelte daarvan, opgeef?' Lieke schoof haar nog halfvolle bord weg, het eten smaakte haar niet meer. 'Waarschijnlijk hadden we deze discussie beter een aantal maanden eerder kunnen voeren,' zei ze strak.

'Wat bedoel je daarmee? Dat je liever geen kind wilt omdat ik niet sta te springen om mijn baan in te leveren? Dat is meten met twee maten, Lieke. Jij bent ook niet bereid je leven om te gooien.'

'Wel gedeeltelijk. Het krijgen van een kind vergt aanpassingen, daar ben ik me van bewust. Jij blijkbaar niet.'

De gezellige sfeer tussen hen was op slag verdwenen. Met bokkige gezichten staarden ze voor zich uit.

Kortaf bestelde David bij een aansnellende ober twee koffie. Trek in een dessert had hij niet meer.

'Waarschijnlijk zijn we nog helemaal niet aan kinderen toe,' zei Lieke ineens zacht. 'Als we op voorhand al ruzie krijgen over de taakverdeling, kan dat in de praktijk alleen nog maar erger worden. Misschien is het beter als we weer voorbehoedsmiddelen gaan gebruiken totdat we hieruit zijn.'

Afwezig bedankte ze de ober voor de koffie en gedachteloos roerde ze met een lepeltje door het zwarte vocht, hoewel ze geen melk of suiker gebruikte. Toen ze een slok wilde nemen, voelde ze echter een golf van misselijkheid in zich opkomen. Snel schoof ze het kopje opzij.

'Wat is er?' vroeg David bezorgd. 'Je ziet ineens zo bleek.'

'Die koffie staat me tegen. Gek, dat heb ik nog nooit gehad.'

Ze keken elkaar peilend aan, allebei met dezelfde gedachten.

'Misschien ben je zwanger,' bracht David die aarzelend onder woorden. 'Zou dat kunnen?'

'Natuurlijk kan dat. Ik ben drie weken over tijd, maar sinds ik met de pil ben gestopt ben ik niet echt regelmatig meer, dus dat zegt niets,' zei Lieke behoedzaam.

'Maar toch... Over tijd, misselijk van koffie, het klinkt mij als muziek in de oren.' Er verscheen een stralende blik in Davids ogen. Hij pakte haar handen vast en keek haar diep in haar ogen. 'Het kan bijna niet missen, schat.'

'Denk je dat echt?'

'Ik weet het wel zeker,' zei hij overmoedig. 'Dit wordt een heel gedenkwaardige kerst. En wat kan mij mijn baan eigenlijk schelen in vergelijking met een kind van ons? Iets mooiers kunnen we nooit krijgen. Dat komt allemaal wel goed, ik beloof het.'

De tranen sprongen in Liekes ogen. Dit was precies wat ze had willen horen. Hij hoefde echt niet per se zijn werk op te geven voor haar, als hij er maar toe bereid was, dat telde voor haar meer.

Ze hadden allebei geen zin meer om lang te blijven zitten. Met de armen om elkaar heen geslagen liepen ze terug naar hun auto. De spanning van even daarvoor was weg, de harde woorden vergeten.

Evenals Lieke was Sjoerd die dag vroeg naar huis gegaan. Zodra de deuren van de souvenirwinkel zich sloten, vertrok hij.

'Ga je nu al?' riep Froukje hem na.

'Ik wel. Lekker naar huis, naar Anneke en de kinderen. Vroeg eten en dan een lange kerstavond,' zei hij tevreden.

'Je bent zowaar een echte gezinsman geworden,' zei zijn zus enigszins spottend. Maar al te goed herinnerde ze zich hoe het er vroeger aan toe was gegaan in het gezin van haar broer en schoonzus. Sjoerd en Anneke hadden heel wat doorstaan voordat ze het hechte gezin werden van tegenwoordig, tot een buitenechtelijke relatie van Sjoerd aan toe. Die problemen behoorden nu gelukkig tot het verleden. Sjoerd werkte hard voor het hotel, maar kon heel goed de deuren achter zich sluiten om zich aan zijn gezin te wijden.

'Echt wel,' lachte hij na haar opmerking. 'En dat bevalt me nog uitstekend ook. Nou zus, ik zie je morgen. Ben jij nog lang bezig vanavond?'

'Mijn kapsalon is dicht tot na de kerstdagen, maar ik ga Mark helpen met de voorbereidingen voor het kerstdiner. Hij kan hier voorlopig nog niet weg en ik heb geen zin om in mijn eentje thuis te gaan zitten,' vertelde Froukje terwijl ze samen naar de lobby liepen. 'Lieke is wel al weg, die is met David uit eten. Noortje heeft dienst in het opvangcentrum, Leen komt daar over een uur ook heen, heeft hij beloofd.'

'Eerst zien, dan geloven,' meende Sjoerd sceptisch. 'Als hij eenmaal aan het werk is, vergeet hij alles om zich heen. Zelfs Noortje, en dat wil wat zeggen. Die twee zijn zo stapelgek op elkaar.' Hij schrok van zijn eigen woorden. Van opzij keek hij naar Froukje. 'Sorry, dat was niet echt een geslaagde opmerking.'

'Je hoeft je voor mij niet in te houden, hoor,' reageerde Froukje met een klein lachje. 'Leen is op dat gebied voltooid verleden tijd voor me, dus jullie hoeven me niet met zijden handschoentjes aan te pakken. Trouwens, hij kan toch niet aan Mark tippen.'

'Ik ben blij dat je er zo over kunt denken.' In een zeldzaam gebaar sloeg Sjoerd zijn arm om Froukjes schouder. 'We hebben ons destijds heel wat zorgen om je gemaakt. Het was een beroerde situatie.'

'Maar het was niet voor niets. Leen en ik zouden nooit zo gelukkig met elkaar zijn geworden als Leen en Noortje of Mark en ik,' meende Froukje. 'Ga jij nu maar gauw, anders ben je nog laat thuis. Prettige avond.'

'Insgelijks.' Sjoerd zwaaide naar Barend, die achter de balie in de hal zat.

Froukje liep naar hem toe. 'Wat zit jij hier eenzaam en alleen.'

'Ik heb de dienst van Gerda overgenomen,' zei Barend. 'Zij wilde graag naar huis, ze was moe.'

'Was je dan niet liever met haar meegegaan? Nu zit jij in je eentje hier en is zij in haar eentje thuis. Anders hadden jullie nog een beetje gezelschap aan elkaar kunnen hebben,' dacht Froukje bezorgd.

Barend wuifde haar woorden luchtig weg. 'Ben je gek. Gerda wilde trouwens vroeg naar bed en ik vind het geen probleem om op kerstavond te werken. Het is hier gezelliger dan in mijn lege huis.' Hij lachte geforceerd.

Gelukkig leek Froukje hem te geloven. Ze liep door naar de grote keuken en Barend zakte als een leeggelopen ballon in elkaar. Het was hem weer gelukt zijn dochter te laten geloven dat er met hem niets aan de hand was, al stikte hij zowat in zijn eenzaamheid. Hij had heel goed gemerkt dat Gerda hoopte dat hij eveneens naar huis zou gaan, zodat ze samen deze kerstavond door konden brengen. Dat was echter het laatste waar hij behoefte aan had. Verplicht lief en aardig doen en net doen of hij het naar zijn zin had, hij moest er niet aan denken. Hier in het hotel moest hij ook beleefd blijven tegen de gasten, maar dat lag anders. Dat was werk. Dat werk had hij trouwens hard nodig tijdens dit soort dagen. Het leidde hem enigszins af en belette hem ervoor te veel in herinneringen aan vroeger te vervallen. Hoewel het hotel, in tegenstelling tot zijn huis, overdadig was versierd, had hij hier minder last van de melancholie die speciaal bij de feestdagen leek te horen.

Peinzend trok Barend het reserveringenboek naar zich toe. Ze verwachtten deze avond nog één gast, ene mevrouw Marin. Ze had die middag telefonisch laten weten dat ze wat later kwam, waarschijnlijk rond een uur of acht. De andere gasten die vandaag aan zouden komen, waren allemaal al gearriveerd. Die genoten nu van het diner of zaten in de versierde lobby aan de koffie. Als de deuren daarvan opengingen, hoorde hij vlagen van de kerstmuziek die er gespeeld werd. Het zou er ongetwijfeld gezellig worden die avond. Lieke had een groot scherm neergezet waar een kerstfilm op vertoond zou worden en daarna was er gelegenheid tot dansen. Hij voelde echter totaal niet de behoefte om zich bij dat gezelschap te voegen. Hij zat hier best in zijn eentje, lekker rustig.

Barend werd uit zijn gedachten opgeschrikt omdat de brede deuren open zoefden en er een vrouw binnenkwam. Ze zeulde met een grote koffer en hij haastte zich naar haar toe om die van haar over te nemen.

'Neem me niet kwalijk, ik had u niet eerder gezien,' verontschuldigde hij zich. 'U bent mevrouw Marin?'

Ze knikte enigszins hooghartig. 'Het verbaast me dat u geen portier heeft. Dit hotel is me aanbevolen door vrienden van me, maar ik had wat meer comfort verwacht.'

'U hoeft uiteraard niet zelf uw koffer naar uw kamer te dragen. Dat doe ik voor u,' bood Barend aan.

Terwijl hij de vrouw incheckte, kon hij niet nalaten haar tersluiks op te nemen. Pamela Marin was ontegenzeggelijk een zeer knappe vrouw, al stond haar gezicht stug en lag er een ontevreden trek om haar mond. Uit haar gegevens maakte hij op dat ze achtenveertig was, maar ze kon makkelijk voor tien jaar jonger doorgaan. Het donkerblonde haar droeg ze opgestoken, de bruine ogen staken daar mooi bij af. Een hartvormige mond en een klassieke, rechte neus maakten haar regelmatige gezicht af. Haar figuur was perfect. Zelfs hij, die nooit oog had voor dergelijke zaken, kon dat niet ontkennen. Ze droeg een dure bontjas over een perfect gesneden mantelpakje en haar in dunne kousen gehulde benen waren gestoken in leren laarsjes met een hoge hak. Bij haar vergeleken voelde Barend zich ineens een beetje sjofel, al droeg hij een keurig donker pak, was zijn gezicht gladgeschoren en was zijn haar pas nog geknipt.

'Bent u nog niet klaar?' klonk haar stem ineens vinnig. 'Ik wil graag naar mijn kamer om me op te frissen na mijn reis.'

'U ziet er anders fantastisch uit,' flapte hij er zonder nadenken uit. 'Hier is uw sleutel. Ik zal met u meelopen voor uw koffer,' voegde hij daar snel aan toe in een poging zijn woorden te verdoezelen. Hij was er zelf van geschrokken. Het was niets voor hem om iets dergelijks te zeggen.

Zwijgend ging hij haar voor naar haar kamer, die op de begane grond was gelegen.

'Heeft u het diner al gebruikt? Anders zal ik de keuken vragen iets voor u klaar te maken.'

'Nee, dank u, ik heb al gegeten.'

'Kan ik u in dat geval straks een kop koffie aanbieden?' zei Barend impulsief.

Pamela keek hem hooghartig aan en gaf daar niet eens antwoord op, waardoor hij zich voelde als een stout jongetje.

Zodra ze haar kamer hadden bereikt en hij haar koffer binnen had neergezet, bedankte ze hem met een genadig knikje en daarna gaf ze hem een briefje van vijf euro, dat Barend beduusd in zijn zak stopte. Pas terwijl hij terugliep naar de balie besefte hij dat ze hem had aangezien voor de piccolo of de portier. Hij grinnikte in zichzelf. Als eigenaar van dit hotel werd hij normaal gesproken met de nodige egards behandeld, dit was een leuke afwisseling.

Deze Pamela Marin had iets wat hem fascineerde. Hij vroeg zich af wat een vrouw alleen bezielde om tijdens de feestdagen naar een hotel te gaan. Wellicht was ze net zo eenzaam als hij en konden ze elkaar een beetje opbeuren. Hij hoopte in ieder geval dat hij haar beter kon leren kennen, al begreep hij zelf niet waar deze gedachte ineens vandaan kwam.

De rest van de avond keek hij tevergeefs naar haar uit, verwachtend dat ze naar de lobby zou komen. Zodra hij haar zag zou hij het misverstand uit de wereld helpen en haar haar fooi teruggeven, nam hij zich voor. Pamela verscheen echter de hele avond niet, iets waar Barend vreemd teleurgesteld over was. Hij kon de donkerbruine ogen in het volmaakt regelmatige gezicht niet uit zijn hoofd zetten.

Enfin, ze bleef vier dagen in het hotel, hij had nog alle kans om met haar te praten, troostte hij zichzelf. Het was een gedachte die hem opwond, een gevoel dat hij lang niet had gehad. Plotseling leken de komende kerstdagen niet meer zo afschrikwekkend.

HOOFDSTUK 4

Eerste kerstdag begon al vroeg voor de familie Nieuwkerk met het traditionele kerstontbijt voor de gasten. De eetzaal stroomde langzaam vol. Sjoerd, Anneke, Froukje en Noortje zorgden ervoor dat het de gasten aan niets ontbrak door aan de tafels te bedienen. Zelfs Damian en Charity hielpen enthousiast mee, iets wat vertederende blikken en de nodige opmerkingen uitlokte.

'Nog even, dan loopt Marja ook mee in de bediening,' giechelde Anneke. 'We kunnen de kinderen niet vroeg genoeg leren om te werken.'

'Uitbuiter,' grinnikte Noortje. 'Maar ze doen het prima, dat moet gezegd. De gasten vinden het prachtig.'

'We hadden ze alleen een kerstmannenpakje aan moeten trekken,' zei Sjoerd voordat hij een nieuwe kan koffie pakte om de liefhebbers daarvan te voorzien. 'Waar zijn Lieke en David eigenlijk?' vroeg hij over zijn schouder voordat hij door de klapdeuren ging.

Anneke keek Froukje en Noortje vragend aan, maar ze wisten er beiden geen antwoord op te geven.

'Ik bel haar zo wel,' beloofde Noortje.

Mark was ondertussen in de keuken bezig om eieren te bakken, daarbij geholpen door Leen. Ze vonden het allemaal wel iets hebben om voor een dagje hun eigen werkzaamheden te verruilen voor iets totaal anders. Barend stond als een veldheer bij de deuropening om de gasten die binnenkwamen te verwelkomen en ze namens de hele familie een prettig kerstfeest te wensen. De ene gast waar hij naar uitkeek, zag hij echter niet. Pas toen het ontbijt op zijn einde liep, verscheen Pamela Marin in de lobby. Ondanks het nog vroege uur zag ze eruit alsof ze naar een cocktailparty moest, merkte Barend bewonderend op. Het lichtblauwe jurkje dat ze droeg zat als gegoten om haar slanke heupen, de schoenen die er qua kleur perfect bij pasten hadden hoge hakken. Haar gezicht was, net als de vorige avond, perfect opgemaakt.

'Goedemorgen, mevrouw Marin,' zei Barend. 'Mag ik u namens de familie Nieuwkerk een prettig kerstfeest wensen?'

Ze knikte slechts als bedankje, nam niet de moeite hem te begroeten.

Barend begeleidde haar naar een tafeltje, vroeg wat ze wilde drinken en wenkte Sjoerd na haar antwoord dat ze een kop koffie wilde.

'Alleen koffie graag, dank u,' antwoordde ze op zijn vraag wat ze wilde eten. 'Ik sla het ontbijt altijd over.'

'Weet u het zeker? Ons assortiment is vandaag extra uitgebreid,' beijverde Barend.

Weer gaf ze daar geen antwoord op. Pamela Marin is er blijkbaar heel goed in om te negeren wat ze niet wil horen, dacht Barend bij zichzelf. Hoewel dit een eigenschap was die hij afkeurde, vond hij het bij haar amusant. Ze was een echte dame, een vrouw van de wereld.

'Ik hoop dat de koffie u smaakt,' zei hij vriendelijk voor hij bij het tafeltje wegliep. Omdat de belendende tafeltjes bezet waren en hij haar niet in verlegenheid wilde brengen, besloot hij het ophelderen van het misverstand van de vorige avond nog even uit te stellen. Het briefje van vijf euro zat in zijn zak, zodat hij het haar terug kon geven.

'Wie is dat?' siste Noortje vanaf haar plek bij de keukendeur. 'Wat een koude kak, zeg. Zie je die blik? Alsof papa iemand is die onder een steen vandaan komt kruipen.'

'Dat moet mevrouw Marin zijn,' wist Leen. 'Ze is gisteravond pas aangekomen.'

'Van mij mag ze weer snel ophoepelen,' bromde Noortje. 'De kapsones stralen ervan af.'

'Niet zo snel oordelen, misschien is ze hartstikke aardig,' wees Leen haar terecht.

Noortje trok een grimas naar Froukje. 'Dat kan ik me niet voorstellen. Kijk alleen eens naar hoe ze eruitziet. Dit is een eenvoudig familiehotel, hoor. De meeste van onze gasten kleden zich niet eens zo uitgebreid voor het diner, laat staan voor het ontbijt. Uitsloofster.'

'Als je maar beleefd tegen haar blijft, ze is een gast,' waarschuwde Leen voordat hij zich hoofdschuddend naar het fornuis wendde.

'Alleen als zij ook beleefd is,' kwam Froukje nu. Zij was het volledig met Noortje eens. 'Moet je zien hoe hautain ze tegen

pa doet. Alsof hij ergens onder aan de voedselketen bungelt of zo.'
'Jullie hebben het zeker over die Barbie?' vroeg Lieke achter hen. Ze kwam gehaast aanrennen. 'Ik zag haar al zitten. Een heel ander type dan we gebruikelijk als gasten hebben.'
'Waar kom jij vandaan?' wilde Froukje weten.
'Sorry, verslapen.'
'Zeker lekker laat geworden tijdens jullie romantische diner,' begreep Noortje. 'Fijne avond gehad?'
'Heerlijk.' Liekes ogen glansden.
'En?' Noortje keek haar peilend aan.
'En niets,' antwoordde Lieke onschuldig.
'Hallo.' Noortje wapperde met haar handen voor Liekes gezicht. 'Ik ben je tweelingzus, je kunt mij niet voor de gek houden. Er is iets met je. Ondanks de wallen onder je ogen straal je. Vertel.'
'Oké dan.' Met een snelle blik om zich heen trok Lieke Noortje opzij, zodat Mark en Leen niets konden horen. Froukje was de eetzaal alweer in gelopen. 'We denken dat ik zwanger ben,' zei ze zacht.
'O Liek, wat fijn! Gefeliciteerd.' Noortje omhelsde haar enthousiast. 'Hoewel het natuurlijk niet helemaal eerlijk is,' ontdekte ze toen lachend. 'We hadden afgesproken het tegelijkertijd te doen en bij mij is er nog geen sprake van.'
'Het is ook nog niet helemaal zeker, maar ik ben drie weken over tijd en ik werd gisteravond misselijk van de koffie,' vertelde Lieke.
'Dat klinkt veelbelovend. Maar je hebt dus nog geen test gedaan?'
Lieke schudde haar hoofd. 'Daar zal ik mee moeten wachten tot na de feestdagen, als de winkels weer open zijn.'
'Hoeft niet. Toen ik met de pil stopte heb ik speciaal een paar testen gekocht, juist voor dit soort situaties,' grijnsde Noortje. 'Ik heb er eentje thuis liggen en eentje hier in mijn kantoor. Hier.' Ze pakte haar sleutelbos uit haar zak en drukte die in Liekes hand. 'Je kunt hem pakken als je wilt. Bovenste la van mijn bureau.'
'Je bent fantastisch,' prees Lieke. 'Ik doe het straks, nu ga ik eerst aan het werk voordat ik ruzie krijg. Froukje keek niet

al te blij bij mijn late binnenkomst.'

Noortje trok haar schouders op. 'Je kent Froukje. Hier in het hotel moet alles precies verlopen zoals ze het in haar hoofd heeft, anders is ze niet te genieten. Het hotel is nu eenmaal haar kindje, daar is ze erg fanatiek in.'

'Wat staan jullie hier te smoezen?' De harde stem van Anneke haalde hen uit hun gesprek. 'Er moet afgeruimd worden.'

'We komen eraan.'

Haastig toog iedereen aan het werk om de eetzaal zo snel mogelijk om te toveren tot een soort theaterzaal, waar de plaatselijke toneelvereniging het kerstverhaal kwam opvoeren. Door de drukte lukte het Lieke zelfs om voor even haar mogelijke zwangerschap uit haar hoofd te zetten. Zodra de gasten echter zaten te genieten van de toneelvoorstelling, glipte ze weg. Even later stond ze met de zwangerschapstest in haar handen. Ze trilde, ontdekte ze. Dit witte staafje zou haar toekomst duidelijk maken, een vreemd idee. Met David had ze afgesproken om na de kerstdagen meteen een test te doen, maar nu ze onverwachts zo'n test in haar handen had, leek het haar leuker om hem te verrassen door hem straks de mededeling te doen dat hij vader werd. Een mooier kerstcadeau kon ze hem niet geven, wist ze. De test in haar eentje uitvoeren was echter ook geen optie. Gelukkig voor haar stond Noortje in de deuropening van de zaal naar de toneeluitvoering te kijken, dus kon ze haar ongezien voor de anderen op haar schouder tikken.

'Kom je mee?' vroeg ze bijna onhoorbaar. Ze hield de test omhoog.

'Gezellig samen op het staafje plassen?' giechelde Noortje terwijl ze achter haar zus aan liep naar de toiletruimte.

Die maakte een ongeduldig gebaar met haar hand, te nerveus om op het grapje in te gaan. 'Ik wil David verrassen door de test straks in te pakken als cadeautje,' legde ze uit.

In de toiletruimte bestudeerden ze eerst uitgebreid de gebruiksaanwijzing. Tenminste, Noortje las die eerst goed door terwijl Lieke naast haar stond te trappelen van ongeduld.

'Kan ik nu beginnen?' vroeg ze een paar keer.

'Ja, stuk ongeduld, ga je gang.' Noortje duwde haar bijna het toilethokje in. 'Je weet wat je moet doen.'

Gespannen wachtten ze daarna samen de uitslag af. Hoewel Lieke er eigenlijk al van uitging dat ze daadwerkelijk zwanger was, was ze toch zenuwachtig voor wat de test zou laten zien. Stel dat ze niet in verwachting was... Nee, dat kon niet, hield ze zichzelf voor. De symptomen logen tenslotte niet. Toch durfde ze niet te kijken, het was Noortje die het staafje in haar handen hield en de tijd controleerde. Lieke stond er met gesloten ogen naast, met stijf gebalde vuisten. Fronsend bekeek Noortje het venster. Bij een positieve uitslag moesten er twee blauwe strepen verschijnen, las ze nogmaals in de bijgeleverde gebruiksaanwijzing. Er verscheen er echter maar eentje, die aantoonde dat de test wel op de juiste manier was uitgevoerd. De tweede streep liet lang op zich wachten en uiteindelijk kon ze niet anders dan concluderen dat de test negatief was.

'Sorry, Liek,' zei ze zacht.

'Wat?' Liekes ogen vlogen open. Ze keek Noortje vertwijfeld aan. 'Wat sorry? Het is toch niet...?'

'Volgens deze test ben je niet zwanger.' Noortje liet haar het venster zien. 'Dan hadden er twee streepjes moeten staan.'

'Weet je dat heel zeker?' Lieke greep de gebruiksaanwijzing. Koortsachtig vlogen haar ogen over de regels, ze moest het een paar keer lezen om tot dezelfde conclusie te komen.

'Niet zwanger...' Verslagen liet ze het papier zakken. 'Hoe kan dat nou?'

'Misschien is het nog zo pril dat de test de hormonen niet herkent,' zei Noortje bemoedigend.

'Ik ben al drie weken over tijd.'

'Maar je bent zo onregelmatig dat dat geen doorslaggevend argument is. Misschien ben je pas één week zwanger of zo,' bedacht Noortje. 'Wacht het nog even af, zou ik zeggen.'

Lieke pakte het teststaafje en bekeek het nog een keer. 'Ik was er echt van overtuigd. David trouwens ook. Dit zal een enorme teleurstelling voor hem zijn.'

'Jullie zijn pas een paar maanden bezig, er is nog geen man overboord,' troostte Noortje haar.

'Dat weet ik, maar toch... We waren zo blij.' Tersluiks veegde Lieke een traan uit haar ogen. 'Gisteravond hadden we ruzie over wie de zorgtaken op zich neemt en riep ik dat ik helemaal geen kind wilde voordat we daaruit zijn. Vervolgens werd ik ziek van die koffie en was onze ruzie meteen vergeten. David was zelfs bereid zijn baan er helemaal aan te geven, zo blij was hij.'

'Behoorlijk drastisch,' meende Noortje nuchter.

'Nou ja, daar hoeven we ons dus voorlopig nog geen zorgen over te maken,' zei Lieke triest.

'Hé, kop op. De baby's komen echt nog wel voor ons.' Noortje sloeg haar arm om Liekes schouder heen.

'O, daar ben ik ook niet zo bang voor, het is alleen een behoorlijke teleurstelling na alle mooie plannen die we vannacht gemaakt hebben. David had zelfs al besloten naar welke universiteit ons kind zou gaan.' Lieke glimlachte en schudde haar hoofd. 'Enfin, een mooi kerstcadeautje gaat het dus niet worden. Dan moet ik maar zorgen voor een mooi verjaardagscadeau voor hem, over vier maanden.'

'Afgesproken, dan zorg ik ook dat ik zwanger ben,' reageerde Noortje lachend.

Ze verlieten de toiletruimte om terug te keren naar de grote zaal, waar het toneelstuk nog in volle gang was. Barend stond in de deuropening als een veldheer die zijn troepen bekeek. Hoewel het leek of hij de hele zaal overzag, zagen zijn ogen slechts één persoon. Hij groette zijn dochters afwezig voordat ze naar de keuken gingen om te helpen met de voorbereidingen voor de lunch. Eindelijk was het toneelstuk afgelopen en kon hij zijn voornemen ten uitvoer brengen. Snel liep Barend de zaal in, naar het tafeltje waar Pamela Marin in haar eentje aan zat. 'Mevrouw Marin, heeft u genoten van het stuk?' vroeg hij.

'Het was wel aardig.' Ze wilde opstaan, maar Barend hield haar tegen door haar arm vast te pakken. Verbaasd en enigszins neerbuigend keek ze hem aan. 'Pardon?'

'Neem me niet kwalijk, ik wil graag iets ophelderen.' Hij haalde het briefje van vijf euro uit zijn zak en legde het op tafel. 'Dit gaf u me gisteravond...'

'Is het niet genoeg?' viel ze hem in de rede. Haar ogen flikkerden. 'Gezien het feit dat ik zelf mijn koffers naar binnen moest dragen, lijkt het me een heel redelijk bedrag.'

Barend schudde zijn hoofd. Er verscheen een klein glimlachje om zijn lippen. Deze vrouw was zeker geen katje om zonder handschoenen aan te pakken. Hij mocht dat wel. 'Dat is het probleem niet. Het is evenmin vals geld, maakt u zich daar geen zorgen om,' grapte hij. 'Ik wil u het geld teruggeven omdat ik niet de portier of de piccolo ben, er is sprake van een misverstand.'

Ze maakte een ongeduldig gebaar met haar hand. 'Stop het in de fooienpot of geef het aan de kamermeisjes. Als receptionist zult u toch wel weten hoe dat hier geregeld is.'

'Ik ben evenmin de receptionist.' Barend stak zijn hand naar haar uit, hoewel ze geen aanstalten maakte die aan te pakken. 'Barend Nieuwkerk, eigenaar van dit hotel.'

Er veranderde iets in het gezicht van Pamela Marin. De hooghartige trek verdween en er kwam een peinzende blik in haar ogen. Nu greep ze de hand die naar haar uitgestoken was wel vast. 'Wel, wel,' zei ze. 'In dat geval hoop ik niet dat ik u beledigd heb.'

'Niet in het minst,' verzekerde Barend haar. 'Het was eigenlijk wel grappig, als eigenaar krijg ik nooit fooi. Mag ik u iets te drinken aanbieden?'

Hij vreesde opnieuw een kille afwijzing, maar kon het niet laten het te vragen. Deze vrouw intrigeerde hem bovenmatig. Dit keer weigerde Pamela echter niet. 'Graag,' antwoordde ze met een stralende glimlach, die haar knappe gezicht deed opleven. 'Als u tenminste stopt met dat vormelijke 'u'. Mijn naam is Pamela.'

'Ik heet Barend, zoals ik al zei. Zullen we naar de foyer gaan? Daar wordt momenteel koffie geschonken en gebak rondgedeeld.'

'Alleen als ik het gebak mag overslaan.'

Gearmd verlieten ze de eetzaal, iets wat niet ongemerkt aan Froukje voorbijging. Door de ramen in de klapdeuren die naar de keuken leidden, had ze het tafereel gezien. 'Zien jullie dat?' vroeg ze ontzet aan de rest. 'Pa wordt helemaal ingepakt door dat rare mens met haar cocktailjurk. Ze lopen zelfs arm in arm!'

'Ik kan hem geen ongelijk geven,' zei Sjoerd met een blik door het ronde raampje. 'Die vrouw ziet er fantastisch uit en pa is zoals iedere oude bok. Hij lust vast wel een groen blaadje.'

Froukje snoof minachtend. 'Zo groen is ze echt niet. Ze loopt eerder tegen de vijftig dan tegen de veertig.'

'Je bent gek.' Sjoerd bleef staan en keek nog eens goed naar Pamela. 'Veertig, hooguit.'

'Welnee,' was Lieke het met Froukje eens. 'Dat is het werk van een goede schoonheidsspecialist en waarschijnlijk een cosmetisch chirurg. Er zit meer botox in dat gezicht dan vlees in onze kroketten.'

'Jullie zijn jaloers,' beweerde Sjoerd. Hij werd echter hartelijk uitgelachen door het vrouwelijk deel van zijn familie, inclusief zijn eigen echtgenote.

'Geen enkele vrouw ziet er van nature zo uit,' zei Anneke zelfs. 'Daar is heel wat werk voor nodig, mannetje. Ik zou haar weleens 's morgens vroeg zonder make-up en met verwarde haren willen zien. Alleen in films worden vrouwen zo perfect wakker. Mijn gezicht zit tenminste iedere ochtend in de kreukels.'

'En toch hou ik nog van je, kun je nagaan,' zei Sjoerd goedmoedig terwijl hij haar een knipoog gaf. 'Waar bemoeien jullie je trouwens mee? Pa is alleen maar vriendelijk voor een gast.'

'Ik heb hem anders nog nooit gearmd zien lopen met een van onze gasten,' zei Froukje somber. 'Ik heb hier geen goed gevoel over, jongens.'

Onwetend van de kritiek van zijn kinderen nam Barend samen met Pamela plaats aan een tafeltje in de foyer. Noortje, David en Leen liepen daar druk heen en weer met kannen koffie en schalen gebak.

'Dit hotel is dus van jou,' hervatte Pamela het gesprek. 'Al lang?'

'Sinds een paar jaar. Hoe ben jij hier overigens verzeild geraakt, nog wel tijdens de feestdagen?' vroeg Barend geïnteresseerd.

'Vrienden van mij zijn hier vorig jaar geweest, ook tijdens de kerst. Zij waren erg enthousiast,' vertelde Pamela. 'Eigenlijk heb ik het nogal impulsief besloten. Ik zag erg op tegen de kerstdagen. Als je alleen bent, zoals ik, is er weinig gezelligheid aan. De zogenaamd leuke kerstsfeer wordt je via de radio en de tv door de keel geduwd, er is geen ontsnappen aan. Ik bedacht dat ik mijn heil beter ergens anders kon gaan zoeken dan zielig in mijn flat te blijven zitten.'

'Ik begrijp precies wat je bedoelt,' knikte Barend. 'Mijn vrouw is drie jaar geleden overleden en hoewel ik vier kinderen en schoonkinderen heb, plus drie kleinkinderen, voel ik me met de feestdagen altijd erg eenzaam. Op dergelijke dagen word je extra met je verlies geconfronteerd.'

Ze knikte. 'Mijn man Barry is al vijf jaar dood en wennen doet het nooit. Onze dochter woont in Australië, dus die zie ik niet vaak. Ik had naar haar toe kunnen gaan, maar je wilt je kinderen toch ook niet steeds lastigvallen als ze eenmaal een eigen gezin hebben.' Pamela's ogen gleden door de drukke foyer. 'Jij hoeft in ieder geval niet alleen te zijn. Het loopt hier zeker goed?'

'We hebben geen klagen. Het grootste deel van het jaar zitten we volgeboekt.'

'We?' Pamela keek hem vragend aan.

'Ik heb dit hotel samen met mijn gezin opgezet,' vertelde Barend. 'We zijn met zijn vijven eigenaar en hebben allemaal onze eigen taak binnen het bedrijf.'

'Dan zal het geen vetpot zijn.' Pamela's belangstelling leek wat af te nemen. Er verscheen een teleurgestelde trek op haar gezicht en de bekende, verveelde uitdrukking lag alweer in haar ogen.

'Nogmaals, we hebben geen klagen,' lachte Barend. 'Als je met vijf gezinnen moet leven van de netto winst die we maken, kun je inderdaad geen bokkensprongen maken, maar dat is in ons geval niet van toepassing. Voor het geld doen we het niet.'

'O nee?' Haar belangstelling vlamde weer op. 'Vertel daar eens wat meer over,' verzocht ze terwijl ze zich iets naar voren boog en hem van dichtbij aankeek.

Barend staarde als gehypnotiseerd in haar grote, donkerbruine ogen. Nu hij zo dicht bij haar zat, kon hij de kleine, goudkleurige stipjes erin duidelijk zien. 'We zijn dit hotel begonnen nadat we een enorme geldprijs hadden gewonnen,' begon hij zijn verhaal. Tot in detail vertelde hij hoe hotel

Margaretha was ontstaan en Pamela luisterde zonder hem te onderbreken.

'Eigenlijk best jammer dat je niet meer van je geld geniet,' peinsde ze.

Barend trok met zijn schouders. 'Wat zou ik er nou mee moeten doen?'

'Reizen, bijvoorbeeld. Verlang je er nooit naar om de wereld te zien?'

'In mijn eentje?' Hij lachte cynisch. 'Dan ben ik hier beter op mijn plaats.'

'Je wilt dus blijven werken tot je tot de ontdekking komt dat je te oud bent om nog iets leuks te doen?' vroeg Pamela spits.

'Dat klinkt wel erg cru,' mompelde hij van zijn stuk gebracht.

'Denk er eens over na. Er is meer in het leven dan werken alleen. Veel meer.' Weer boorden haar ogen zich in die van hem, als een belofte. Impulsief pakte Barend haar hand vast, tot zijn genoegen merkte hij dat ze die niet terugtrok.

'Dat begin ik ook te geloven, ja,' zei hij schor.

HOOFDSTUK 5

Weer niet. Teleurgesteld legde Lieke de test weg. 'Negatief,' zei ze somber tegen David.

'Alweer? Hoe kan dat nou?' vroeg hij ongelovig. Hij pakte de test vast en keek ernaar.

'Geloof je me soms niet?' zei Lieke vinnig.

'Ik begrijp het niet. Keer op keer heb je alle symptomen en toch worden we steeds teleurgesteld. Het wordt tijd voor een bezoek aan de dokter, Liek.'

'Die lacht ons waarschijnlijk alleen maar uit. We proberen het pas een halfjaar.'

'Daar gaat het niet alleen om, dat weet je,' zei David. Hij liep naar de kamer, opende de bar en schonk zichzelf een glas whisky in. Hij sloeg het in één teug achterover, waarna hij zijn glas opnieuw vulde en ermee op de bank ging zitten.

'Je bent bijna iedere maand over tijd, je bent vaak misselijk, moe, je hebt last van duizelingen en je reageert steeds vaker chagrijnig.'

'Misschien zou ik vrolijker zijn als jij wat minder zou drinken,' zei Lieke met een blik op zijn glas.

'Stel je niet zo aan,' reageerde hij kortaf. 'Als de test positief was geweest, had je het heel normaal gevonden als ik dat had gevierd met een borrel.'

'Eén borrel, ja,' zei ze scherp. 'Ik vind het overigens een veeg teken dat je steeds een ander excuus hebt om jezelf een glas in te schenken. Om iets te vieren, om je teleurstelling weg te drinken, omdat je een drukke dag hebt gehad, omdat je moe bent, noem maar op.'

'Reageer je teleurstelling vanwege de negatieve test niet op mij af. Ik begrijp dat je verdrietig bent, maar dat los je niet op door giftige pijlen op mij te richten. Je zult een keer onder ogen moeten zien dat er iets niet klopt,' wees David haar terecht. Hij zette zijn glas neer en nam haar in zijn armen. 'Laat je alsjeblieft eens testen. Wie weet ben je al lang zwanger, maar reageert de test niet, om wat voor reden dan ook.'

'Dat zou te mooi zijn om waar te zijn,' zuchtte Lieke. Stil leunde ze tegen hem aan. Hij had wel gelijk, dat moest ze toegeven. Ze voelde zich al langer niet goed. Tegenwoordig was ze al moe als de dag nog moest beginnen en ze had al vaker, ook van anderen, gehoord dat ze niet bepaald de gezelligste was. Dat merkte ze zelf trouwens ook wel, en toch leek ze niet bij machte om daar iets aan te doen. Ze had zichzelf gewoon niet meer in de hand, leek het wel. Soms had ze het gevoel dat ze toe stond te kijken terwijl haar andere ik mensen uitkafferde vanwege iets onbenulligs. Er was maar heel weinig voor nodig om haar op de kast te laten springen. Zelfs met Noortje had ze vorige week ruzie gehad om iets wat nergens op sloeg, en dat wilde heel wat zeggen. Het was moeilijk om ruzie met Noortje te krijgen.

'Ik bel morgen de dokter op,' nam ze zich ter plekke voor.

De volgende ochtend twijfelde ze echter alweer. Die man had wel wat beters te doen dan tijd vrijmaken voor een zeurende, chagrijnige vrouw, dacht ze bij zichzelf.

'Als jij niet belt, doe ik het,' dreigde David. Hij pakte de telefoon alsof hij die woorden onmiddellijk waar wilde maken.

'Laat maar, ik bel heus wel,' zei Lieke geprikkeld. Snel toetste ze het nummer in. De assistente die haar te woord stond meldde haar dat ze om kwart over negen op het spreekuur terecht kon.

'Jammer dat ik niet met je mee kan,' zei David spijtig met een blik op zijn horloge. 'Ik heb om halfnegen die bespreking, die kan ik onmogelijk op het laatste moment afzeggen.'

'Alsof ik anders had verwacht,' zei Lieke spottend. 'Je hebt mij altijd verweten dat mijn werk voor mijn huwelijk ging, maar zelf ben je er ook nooit als ik je nodig heb. Je verschuilt je gewoon achter je baan.'

David stond op, pakte zijn attachékoffer en liep naar de deur. 'Ik hoop toch echt dat de dokter iets vindt wat je gedrag verklaart,' zei hij nog kortaf voordat hij vertrok.

Lieke staarde beduusd naar de dichte deur. Hij had haar niet eens een zoen ten afscheid gegeven, realiseerde ze zich. Schuldbewust vroeg ze zich af of ze werkelijk zo erg was. Of overdreef hij omdat hij zelf ook de steeds terugkerende teleurstelling niet goed kon verwerken? David wilde al jaren niets liever dan kinderen van zichzelf, wist Lieke. De laatste tijd zag hij die droom iedere maand weer in het water vallen. Eigenlijk was het geen wonder dat hun relatie tegenwoordig zo moeizaam verliep en dat David steeds vaker naar de fles greep. De angst dat er iets mis was, greep hen beiden naar de keel, zonder dat ze daar openlijk over praatten. Ze stopten die gevoelens diep weg en reageerden vervolgens de onvrede daarover op elkaar af. Het werd tijd voor een goed gesprek waarin ze alles op tafel legden, besefte Lieke. Zeker hun angsten. Ze moesten hier samen doorheen. Het was te gek voor woorden dat zij nu alleen naar de huisarts moest gaan terwijl het een probleem van hen beiden was.

Ze kon David echter weinig verwijten op dit moment. Ze wist dat hij een belangrijke bespreking had, dus ze had tegen de assistente kunnen zeggen dat het tijdstip niet uitkwam. Nu de afspraak eenmaal stond had Lieke echter ook geen zin om terug te bellen en hem te verzetten naar een dag later.

Ze belde Daphne om te vertellen dat ze later begon en drentelde een beetje rusteloos door hun appartement in afwachting van het tijdstip waarop ze de deur uit moest. Eigenlijk moest ze David bellen om haar verontschuldigingen te maken voor haar onterechte verwijt, maar een blik op de klok weerhield haar daarvan. Hij zou het haar zeker niet in dank afnemen als ze hem nu stoorde.

Gespannen zat ze even later tegenover haar huisarts, die aandachtig naar haar verhaal luisterde.

'Het klinkt wel als een hormoonkwestie,' zei hij uiteindelijk. 'Het hoeft niets ernstigs te zijn, hoor. Het kan bijvoorbeeld een reactie zijn op het stoppen met de pil. Tenslotte heb je jarenlang op die manier hormonen geslikt die nu zijn weggevallen.' Hij pakte een papier en schreef daar iets op. 'Ik geef je een doorverwijzing naar de gynaecoloog, die kan dat beter onderzoeken dan ik.'

'Het is dus niet raar dat ik hier een afspraak voor gemaakt heb?' vroeg Lieke onzeker.

'Absoluut niet, al hoop ik uiteraard voor je dat het zich vanzelf oplost en er geen medische toestanden aan te pas komen,' antwoordde hij met een glimlach terwijl hij de brief in een envelop stopte en hem haar overhandigde.

Nu wist ze dus nog niets, dacht Lieke toen ze buiten stond. Je hoorde vaak zulke vervelende verhalen over wachtlijsten in het ziekenhuis, de kans was groot dat het weken zou duren voor ze bij een gynaecoloog terecht kon.

Gelukkig viel dat mee. Lieke belde meteen het nummer dat de huisarts voor haar op de envelop had genoteerd en kreeg een afspraak voor een week later. Ze stuurde David een sms om hem te laten weten wat de arts had gezegd. Hij belde niet terug, wat ze wel gehoopt had. Waarschijnlijk zat hij nog midden in die bespreking. Maar hoeveel moeite is het om zich even een minuutje te verontschuldigen zodat hij zijn vrouw kan bellen? dacht ze opstandig bij zichzelf. Tegelijkertijd wist ze dat ze onredelijk was. Als zijzelf een vergadering of een gesprek met een potentiële klant had, zette ze haar mobiel uit, zodat ze niet gestoord kon worden. Het was niet eerlijk om te verwachten dat David iets anders zou doen.

Ze zette koers naar het hotel, waar ze Anneke achter de balie aantrof.

'Waar is pa?' vroeg Lieke verbaasd. Het gebeurde niet vaak dat Barend zijn vaste plekje verliet.

'Naar het station om die Pamela op te halen,' meldde Anneke. 'Ze komt hier een week logeren.'

'O nee, niet alweer.' Lieke kreunde. 'Die zit echt achter pa aan.'

'En het is nog wederzijds ook,' knikte Anneke. 'Je had hem moeten zien stralen toen hij vroeg of ik de receptie over wilde nemen. Ik vraag me af wat hij in haar ziet.'

'Het omgekeerde is me wel duidelijk. Ze heeft een paar miljoen redenen om hem te strikken,' wist Lieke somber. 'In eerste instantie bekeek ze hem niet, weet je nog? Pas toen ze erachter kwam wie hij was, begon ze te slijmen.'

'Aan haar uiterlijk te zien zit ze er zelf anders ook warmpjes bij,' was Anneke van mening. 'De bontjas die ze met de kerstdagen droeg kost echt niet weinig.'

'Er zit anders wel een verschil tussen warmpjes en bloedheet,' zei Lieke cynisch.

'We kunnen alleen maar hopen dat hij er zelf achterkomt, maar ik vrees het ergste. Hij is helemaal idolaat van haar. Ze is natuurlijk ook razend knap.'

'Alsof dat belangrijk is. Ze lijkt in niets op mama.'

Anneke beet op haar onderlip. 'Misschien is dat maar beter ook, dan verval je niet snel in vergelijkingen.'

'Ik kan me niet voorstellen dat pa gelukkig wordt met zo'n vrouw,' zei Lieke somber.

Ze hadden allebei niet in de gaten dat een gast van het hotel achter hen stond te wachten om iets te vragen. Het was de langslopende Froukje die hen waarschuwde, waarna Anneke zich direct met een verontschuldigende glimlach tot de vrouw wendde.

'Let daar voortaan op, ja?' siste Froukje kwaad tegen Lieke. 'Kletspraatjes houden jullie maar in je eigen tijd.'

'Dat maken we zelf wel uit,' zei Lieke kortaf. 'Jij bent de baas niet, al gedraag je je graag zo.'

'Gasten gaan altijd voor,' wees Froukje haar terecht. 'Je kunt het gewoonweg niet maken om een privégesprek te voeren terwijl er iemand staat te wachten. Behalve dat het onprofessioneel is, is het ook onbeleefd. Waar kom jij trouwens zo laat vandaan?'

'Dat gaat je niets aan. Bemoei je met je eigen zaken,' snauwde Lieke.

'Het hotel is mijn zaak. Zonder mij hadden we dit hotel niet gehad.'

'Ik ben eigen baas en niet in dienst van dit hotel, dus je hebt totaal niets over mijn werkzaamheden of werktijden te zeggen.' Met die woorden draaide Lieke zich om en gaf ze haar zus het nakijken.

Fronsend vervolgde Froukje haar weg naar de keuken om samen met Mark hun pauze door te brengen. Om deze tijd van de dag was hij zo'n beetje klaar met de voorbereidingen voor de lunch en kon hij wel even gemist worden voor de drukte losbrak.

'Wat kijk jij lelijk,' verwelkomde hij haar.

'Aanvaring met Lieke,' vertelde Froukje summier. Ze slenterden samen naar buiten, waar het lentezonnetje uitbundig scheen. Kort vertelde ze hem wat er voorgevallen was. 'Ze had niet zo vinnig hoeven reageren, tenslotte had ik gelijk.'

'Lieke reageert vaker chagrijnig de laatste tijd,' wist Mark. 'Ik weet niet wat er aan de hand is, maar het zal wel weer overgaan.'

'Laten we het hopen, want echt gezellig is ze momenteel niet. Pa ook niet, trouwens. Die zit tegenwoordig meer aan de te-

lefoon met zijn geliefde Pamela dan dat hij aan het werk is. Nu heeft hij de receptie aan Anneke overgelaten om haar van het station te halen. Alsof ze geen taxi kan nemen.'
'Wees blij dat hij weer plezier in het leven heeft.'
'Moet dat per se met Pamela?'
Mark keek Froukje van terzijde onderzoekend aan. 'Heb je een aversie van Pamela persoonlijk of vind je het gewoon moeilijk dat er een vrouw in zijn leven is?'
Het duurde even voor Froukje daar antwoord op gaf. Ze nam plaats op een bankje aan de rand van de oprit en keek peinzend voor zich uit. 'Allebei,' zei ze toen eerlijk. 'Het is vreemd om een andere vrouw naast hem te zien, vooral omdat ze totaal anders is dan mama. Ik zou blij voor hem moeten zijn...'
Haar stem stierf weg.
'Maar dat ben je niet,' concludeerde Mark.
Froukje schudde haar hoofd. 'Nee. Ik vind haar een beetje eng. We zijn het er allomaal over eens dat het haar vooral om zijn geld gaat.'
'Je bedoelt jij, Lieke, Noortje en Anneke. Jullie roddelen te veel.'
'Hallo, het gaat wel over onze vader, hoor,' reageerde Froukje gepikeerd. 'Natuurlijk willen we hem graag gelukkig zien, maar we betwijfelen of hij dat geluk bij haar vindt. Er lijkt ineens niets anders meer belangrijk te zijn voor hem. Zelfs het hotel niet. Normaal gesproken zou hij het niet in zijn hoofd halen om de receptie aan Anneke over te dragen, want die heeft daar helemaal geen verstand van.'
'Dat is niet direct een teken van desinteresse,' meende Mark relativerend.
'Ik heb vaker gemerkt dat hij gasten laat wachten omdat hij met Pamela aan de telefoon zit. Hij is veranderd, Mark, ga me niet vertellen dat jij dat niet ziet.'
'Hij is niet meer zo eenzaam, dat lijkt mij een gunstige verandering.'
Froukje zuchtte. Alle mannen in hun familie reageerden precies zo, terwijl de vrouwen allemaal hun bedenkingen bij Pamela hadden. Waar lag dat aan? Waren zij inderdaad jaloers op de vrouw die de plaats van hun moeder dreigde in te nemen, of keken de mannen niet verder dan haar ontegenzeggelijk knappe gezicht? Sjoerd had pas nog gezegd dat

hij zijn vader groot gelijk gaf en dat hij precies hetzelfde zou doen als hij in zijn vaders schoenen stond.

'Als je zo'n vrouw kunt krijgen, ben je gek als je er niet op ingaat,' had hij onomwonden beweerd. Die opmerking had hem een ruzie met Anneke opgeleverd.

'Gun hem zijn geluk, ook al ben jij het er niet mee eens,' zei Mark. 'Als het haar inderdaad alleen om zijn geld gaat, komt je vader daar heus wel achter. Hij is niet achterlijk.'

'Maar wel verliefd,' zei Froukje somber. 'Dus blind.'

'Verliefdheid duurt niet eeuwig.' Mark trok Froukje aan haar hand omhoog. 'Kom schat, laten we teruggaan. Ik heb wat veranderingen in het menu doorgevoerd die ik je wil laten zien.'

Froukje begon te lachen. 'Met al dat experimenteren van jou zijn we straks nog vermaard om onze beroemde keuken. Wanneer krijgen we de eerste Michelin-ster? Vergeet niet dat we maar een eenvoudig familiehotel zijn.'

'Ik doe mijn best,' ging Mark serieus op haar plagerijtje in. 'Ik ben pas begin dertig, ik wil niet de rest van mijn leven simpele maaltijden blijven maken, er moet wel vooruitgang in zitten. Als ik ooit mijn eigen restaurant begin, kan ik niet alleen schnitzels en biefstuk op mijn kaart hebben staan.'

'Wacht even.' Froukje bleef abrupt staan. 'Wat bedoel je, je eigen restaurant? Daar heb ik je nog nooit over gehoord.'

'Een mens moet dromen hebben, dit is de mijne.'

'Dat meen je toch niet echt, hè? En het hotel dan?'

'Dat zien we dan wel weer. Voorlopig is het zover nog niet, het zijn slechts vage hersenspinsels,' zei Mark onbekommerd.

'Ik wist helemaal niet dat je daarmee bezig was.'

'Niet concreet, dat zei ik al. Maar ooit zal het er wel van komen. Ik ben kok, Froukje. Mijn werk bestaat voor een groot gedeelte uit creativiteit. Er is nog veel te leren, maar ooit hoop ik toch het niveau van een familiehotel te ontstijgen.'

'Zijn we soms niet goed genoeg voor je?' zei Froukje snibbig.

Mark zuchtte. 'Waar slaat dat nou weer op? Iedereen wil toch vooruitgang boeken? Toen jij nog gewoon in loondienst werkte, droomde je toch ook van je eigen zaak?'

'We hebben nu een eigen zaak, een compleet bedrijf zelfs.'

'Nee, jij en je familie hebben een eigen bedrijf,' verbeterde Mark haar.

'Jij hoort ook bij die familie.'

'Maar ik heb het hotel niet helpen opbouwen. Begrijp me goed, ik hou van mijn werk hier en ik doe het met plezier, maar het is niet van mezelf. Er liggen nog zeker dertig, vijf-endertig jaren voor me die ik moet werken en eerlijk gezegd moet ik er niet aan denken om al die tijd niets anders te doen dan wat ik nu doe.'

'Koken is koken, of je dat nu hier doet of in een restaurant,' meende Froukje. 'We leiden een hotel, Mark, dat kun je niet zomaar opzijzetten. Er zijn er al genoeg die dat doen.' Dat laatste liet ze er bitter op volgen.

'Je vader trekt heus wel weer bij als zijn eerste verliefdheid over is. Buiten dat kun je niet van me verwachten dat ik hier blijf werken omdat je vader er misschien de brui aan geeft. Dit is niet mijn hotel, dat is een wezenlijk verschil.'

'Dat vind ik een onzinnig argument,' hield Froukje koppig vol. 'Het hotel hoort bij ons, bij de familie. Dat kun je niet zomaar in de steek laten.'

'Goede koks zijn overal te vinden,' meende Mark schouder-ophalend. 'Kapsters trouwens ook. Je hoeft echt niet bang te zijn dat het hotel plotseling in verval raakt als wij er niet meer dagelijks werken.'

'Ho even.' Opnieuw bleef Froukje staan, nu midden op de inrit naar de ingang. 'Wat bedoel je daar nu weer mee? On-geacht jouw onzinnige plannen, ik blijf gewoon in het hotel werken.' Ze legde extra nadruk op het woordje 'ik'.

'Nog veertig jaar? Daar kan ik me niets bij voorstellen. Als we een restaurant beginnen, doen we dat natuurlijk samen,' zei Mark opgewekt. 'Een dergelijk project lukt niet als je niet intensief met je partner samenwerkt.'

'In dat geval kun je er maar beter niet aan beginnen. Ik pie-ker er namelijk niet over,' zei Froukje strak.

Ineens schoot Mark in de lach. 'Lieve schat, staan we hier nou werkelijk ruzie te maken om mijn vage plannen, die on-getwijfeld nog jaren gaan duren? Dat is te gek voor woorden. We praten er nog wel een keer over.'

'Wat mij betreft is dit gesprek afgelopen,' zei Froukje echter. 'Mijn plaats is en blijft hier, in het hotel. Als kok kun jij hier net zo goed je creativiteit kwijt, zoals jij het uitdrukt. We staan altijd open voor veranderingen in het menu, zolang er maar een bepaalde basis blijft.'

'De gerechten die ik echt wil maken, zijn te duur voor ons hotel. Daar hebben we het publiek niet voor,' sprak Mark dat tegen.

'De jetset.' Het klonk cynisch.

'Daar komt het wel op neer, ja. Niet omdat het slag mensen me meer aanspreekt, maar simpelweg omdat de ingrediënten voor mijn favoriete gerechten te duur zijn voor een gemiddeld restaurant.'

'Een echt goede kok maakt ook goede gerechten met goedkope ingrediënten. In Engeland werkte je in een eetcafé waar een portie saté het hoogste culinaire standje was.'

'Dat was tijdelijk.'

'Maar dit toch niet?' Froukje keek hem smekend aan en maakte een gebaar naar het witgeschilderde hotel, dat de naam van haar moeder droeg. Ze voelde zich er intens mee verbonden en het was een klap voor haar dat Mark daar blijkbaar anders over dacht.

'Ik ben te jong om me voor de rest van mijn leven vast te leggen. Laten we nu naar binnen gaan, onze pauze is inmiddels al lang om,' bedong Mark.

Ze schudde haar hoofd. 'Ga jij maar, ik kom zo. Ik moet dit even laten bezinken.'

'Froukje, je kunt...'

'Ga alsjeblieft,' zei ze met afgewend gezicht.

Ze keek hem niet na toen hij de brede deuren binnenliep, haar blik was gevestigd op de rode letters boven de ingang. Hotel Margaretha, het project dat zij destijds had opgestart en waar ze met hart en ziel aan werkte. Ze kon zich het leven zonder dit hotel niet meer voorstellen. Tijdens haar verblijf in Engeland had ze niet geweten of ze hier ooit nog terug zou keren en dat had ontzettend veel pijn gedaan. Uiteindelijk was alles gelukkig weer goed gekomen, maar nu dreigde Mark ineens roet in het eten te gooien, iets wat nooit een seconde bij haar opgekomen was. Zonder hem zou het niet hetzelfde zijn, wist Froukje. Maar het hotel opgeven om met hem mee te gaan? Ze schudde haar hoofd. Dat nooit.

HOOFDSTUK 6

'Ga me niet vertellen dat je vandaag moet werken.' Met een pruillip keek Pamela naar Barend, die zoals iedere ochtend achter de receptie stond. 'Daarvoor ben ik hier niet heen gekomen.'

'Ik kan niet zomaar weglopen.' De blik die Barend op zijn computerscherm wierp, was echter vol tegenzin. Daarna gleden zijn ogen naar Pamela, die er fantastisch uitzag in haar abrikooskleurige lange broek met bijpassend jasje. 'Of jij moet een beter voorstel hebben.'

'Ik wilde eigenlijk met je de stad in. Je kunt wel wat nieuwe kleren gebruiken,' zei Pamela. Ze streek met haar wijsvinger over de voorkant van zijn donkerblauwe jasje. 'Als hoteleigenaar moet je er representatief uitzien en dit is een model van twee jaar geleden.'

Onzeker keek hij omlaag. Hij gaf niet veel om kleding, dat had hij nooit gedaan. Jaren geleden, vlak na het winnen van die enorme prijs, had Barend in een overmoedige bui allemaal pakken aangeschaft omdat hij vond dat hij als kersverse miljonair niet meer in spijkerbroeken en truien rond kon blijven lopen. Diezelfde pakken droeg hij nu nog. Ze waren nog goed, dus waarom niet? Oog voor mode had hij nooit gehad. Het jasje dat hij vandaag droeg had hij destijds aangeschaft op aanraden van Gerda, omdat het zo mooi kleurde bij zijn lichtgrijze lievelingsbroek. Maar Pamela had een punt, moest hij toegeven. Hij was de eigenaar van dit hotel, dat mocht best aan zijn kleding te zien zijn.

'Misschien vanmiddag,' zei hij dan ook. 'Ik kan hier nu niet weg.'

'Waarom niet?' Ze deed een stapje in zijn richting, waardoor haar kruidige parfum in zijn neusgaten drong. Met zijn ogen dicht snoof Barend die geur op. 'Er lopen hier zat mensen rond om de receptie van je over te nemen.'

'Froukje zal het me niet in dank afnemen.'

'Is Froukje hier de baas?' Pamela trok haar fraai geëpileerde wenkbrauwen hoog op en deed een stapje naar achteren. 'Dan heb ik me vergist. Als jij je liever laat koeioneren door je dochter dan dat je met mij op stap gaat... Jammer. Als ik dat geweten had, was ik niet gekomen.'

'Nee, nee,' verzekerde Barend haar haastig. De schrik sloeg hem om het hart. Hij had zich er ontzettend op verheugd om Pamela terug te zien. Sinds haar verblijf hier met de kerstdagen hadden ze contact onderhouden en heel voorzichtig durfde hij weer te dromen over de toekomst. Hij wilde alles doen om het haar naar de zin te maken. 'Je hebt gelijk. Froukje heeft uiteraard niets over me te vertellen, ik kan zelf heel goed bepalen of ik wel of niet werk.'

'Dat dacht ik ook, ja,' zei Pamela tevreden. Ze schonk hem een glimlach waar zijn hart sneller van ging kloppen.

'Als je een paar minuutjes de tijd hebt, draag ik de boel even over.' Barend wenkte Leen naar zich toe. 'Wil jij aan Sjoerd vragen of hij de receptie over kan nemen? Ik neem de rest van de dag vrij.'

Leen keek zijn schoonvader bevreemd aan. Dit was nog nooit voorgekomen. Het hotel was alles voor hem, zeker sinds Marga's overlijden. 'Sjoerd is er vandaag niet. De kinderen zijn vrij van school vanwege een studiedag van de leraren, ze zijn met het gezin naar de Efteling,' wist hij. 'Anneke is er dus ook niet, Gerda neemt vandaag de winkel waar.'

'Iemand anders dan,' zei Barend ongeduldig. Hij hoorde Pamela achter zich minachtend snuiven. 'Er werken hier verdorie toch meer mensen dan alleen ons gezin? Waar is Kelly?'

'Die is vrij omdat ze het weekend heeft gewerkt. Ik kan het aan Leontine vragen. Zij helpt momenteel in de keuken, maar ze heeft vaker de receptie bemand, dus ze weet hoe het moet.'

'Doe dat,' zei Barend kortaf.

'Weet je het zeker? Eigenlijk komt het niet zo goed uit vandaag,' zei Leen.

Weer hoorde Barend het korte, minachtende geluid achter zich en hij richtte zich hoog op. 'Ik dacht niet dat ik toestemming nodig had. Dit is nog altijd mijn hotel, jongen.'

Leen keek van Barends ontstemde gezicht naar Pamela, die een klein, triomfantelijk glimlachje liet zien. Hij knikte. 'Ik zal het regelen,' zei hij stroef. 'Ga maar.'

'Ik wacht wel even op Leontine.'

'Hoeft niet. Ik blijf hier tot ze klaar is in de keuken. Veel plezier.' Leen draaide zijn rug naar Barend toe en boog zich over de computer, zijn schoonvader verder negerend. Heel even bleef Barend nog besluitloos staan, tot Pamela hem meetroonde. Onzeker, maar tevens met een gevoel van bevrijding, liep hij met haar mee. Eigenlijk voelde dit best goed, ontdekte hij. Hij was altijd alleen maar aan het werk, alsof hij nog steeds, net als vroeger, de kost moest verdienen voor een groot, duur gezin. Die tijden waren echter voorbij. Tegenwoordig had hij geen verplichtingen meer en kon hij doen wat hij zelf wilde. Het werd hoog tijd dat hij eens ging genieten. Samen met Pamela. Hij bood haar zijn arm en samen liepen ze het hotel uit, nagestaard door Leen.

'Wat doe jij nou achter de receptie?' Plotseling dook Froukje naast hem op. 'Waar is pa?'

'Op stap met Pamela,' antwoordde Leen met een grimas. 'Ze pakt hem aardig in, als ik dat zo bekijk.'

'Heb je het eindelijk door?' smaalde Froukje. 'Ik vind ze absoluut niet bij elkaar passen.'

'Daar denkt hij zelf duidelijk anders over. Leontine komt me zo aflossen hier, zij doet de rest van de dag de receptie.'

'Waarom doet Sjoerd het niet?'

'Die heeft vandaag vrij,' hielp Leen haar herinneren.

'Nou, dat moet hij dan maar verzetten. Als pa er zonder meer vandoor gaat, moeten wij het opvangen,' meende Froukje geergerd. 'Dan neemt Sjoerd maar vrij als Pamela weer naar huis is, want nu zijn we onderbezet.'

'We redden het wel, zo druk is het momenteel niet,' stelde Leen haar gerust. 'Gerda bemant de winkel en Leontine komt hierheen.'

'Wat wel betekent dat er in de keuken een kracht te weinig is,' merkte Froukje op.

'Laat die problemen nou maar aan mij over, dat is mijn taak. Jij hebt je eigen werkzaamheden. Volgens mij heeft Tanja je nodig.' Leen wees naar de kapster, die aan het begin van de gang driftig stond te wenken. Snel liep Froukje naar haar toe.

'Er is telefoon voor je,' meldde Tanja. 'Een leverancier.'

Froukje nam de telefoon van haar over en handelde de bestelling af. Direct daarna toetste ze het mobiele nummer van Sjoerd in. Leen had haar dan wel subtiel duidelijk gemaakt dat ze zich niet met zijn werk moest bemoeien, maar Froukje voelde zich te verantwoordelijk voor de gang van zaken in het hotel om geen actie te ondernemen. Het ging nu allemaal net met de afwezigheid van Sjoerd, Anneke en haar vader, maar als er om welke reden dan ook vandaag nog iemand uitviel, hadden ze een probleem.

'Hoi, met mij,' zei ze zodra hij opnam. Ze hoorde een vreselijk kabaal op de achtergrond. 'Waar zit je in vredesnaam?'

'In de Efteling,' riep Sjoerd. 'Een gezinsdagje.'

'Ik vrees dat je dat een ander keertje moet doen. We hebben je hier nodig,' zei Froukje resoluut.

'Hoezo? Problemen?'

'Onderbezetting. Als jij vrij bent, is Anneke er ook niet, dat vergeet je nog weleens. Pa is met Pamela weggegaan, er is nu niemand voor de receptie.'

'Je doet alsof we geen personeelsleden hebben,' klonk Sjoerds spottende stem in haar oor. 'Dat kunnen jullie best oplossen. Ik kom in ieder geval niet terug.'

'Je hebt verantwoordelijkheden, Sjoerd.'

'Klopt. Eén daarvan is mijn gezin,' antwoordde hij prompt. 'Als het echt noodzaak is, is het wat anders, maar hier geef ik mijn dag niet voor op. Dag Frouk.' Hij drukte haar weg zonder op haar weerwoord te wachten.

'Wie was dat?' wilde Anneke weten. Ze stond met Marja op haar arm naast hem te kijken naar Damian en Charity, die in een attractie zaten. Ze zwaaiden enthousiast naar hun ouders en Anneke zwaaide lachend terug.

'Froukje. Pa schijnt ervandoor te zijn en nu eist ze dat ik terugkom om zijn taken over te nemen.'

'Nee toch?' schrok Anneke.

'Maak je niet ongerust, ik ga niet. Er zijn mensen genoeg om dit op te lossen. Froukje doet alsof het een levensgroot probleem is, terwijl het in werkelijkheid slechts een klein ongemak betreft.'

'Weet je dat zeker? Ze belt niet voor niets, vrees ik.'

Sjoerd wuifde haar woorden luchtig weg. 'Als het echt nodig is, belt Leen wel. Froukje heeft net zo weinig met de personeelsbezetting te maken als ik, dat is de taak van Leen. Zolang hij niet aan de bel trekt, is er niets aan de hand.' Hij spreidde zijn armen uit om de naar hem toe rennende Damian op te vangen. 'Zo knul, was het leuk?'

'Ik wil nog een keer,' riep Damian enthousiast.

'Straks, nu gaan we eerst iets drinken.'

'Dus we gaan niet terug?' vroeg Anneke.

Sjoerd schudde zijn hoofd. 'Absoluut niet. Vrij is vrij. Ik ben altijd bereid om in te vallen als het nodig is, maar dit klonk me niet als een noodgeval in de oren.'

'We hoeven toch niet naar huis?' Charity trok aan zijn jas. 'Ik wil niet naar huis, pap.'

'Nee hoor, we gaan lekker lol maken,' lachte Sjoerd terwijl hij haar op zijn arm hees. 'Jeetje, wat word jij zwaar.'

'Ik ben al heel groot.' Charity begon te hoesten en leunde met een bleek gezichtje tegen de schouder van haar vader. Anneke voelde aan haar voorhoofd. 'Geen koorts, maar ze is wel warm,' zei ze bezorgd. 'We gaan hopelijk niet weer beginnen. Ze was net van die verkoudheid af.'

'Je bent een kwakkelkindje,' plaagde Sjoerd haar terwijl hij in haar zij kietelde.

'Ik wil los.' Charity worstelde zich uit zijn armen en rende achter Damian aan naar het restaurant.

'Het valt wel mee, zo te zien.' Met zijn arm om Annekes schouder liep hij achter de tweeling aan. Sjoerd voelde zich heel tevreden zo. Hij hield van zijn werk in het hotel, maar zo'n dag met zijn gezin was ook heel belangrijk voor hem. Anneke en hij hadden heel wat problemen voor hun kiezen gekregen in de eerste jaren van hun huwelijk, maar de laatste tijd ging het beter dan ooit tussen hen. Hij genoot dan ook van de uurtjes die ze samen doorbrachten. Inmiddels had hij een goede balans gevonden tussen werk en privé, al stonden die twee zaken in hun familie nooit helemaal los van elkaar. Deze dag was in ieder geval voor zijn gezin, daar konden geen tien Froukjes iets aan veranderen.

Na een vroege lunch nam Pamela Barend mee naar een exclusieve herenmodezaak, waar hem diverse pakken aangemeten werden.

'Zoveel heb ik helemaal niet nodig,' protesteerde hij. 'Ik heb pakken genoeg.'

'Van jaren geleden, zo kun je je niet meer vertonen,' zei Pamela. Ze glimlachte erbij om haar woorden te verzachten. 'Goede maatpakken zijn een must, Barend. Het zal je uitstekend staan.'

'Dat mag dan ook wel voor de prijzen die ze hier rekenen,' mopperde hij.

Pamela's ogen vernauwden zich even. 'Ik vind het altijd nogal ordinair om over geld te praten, maar als je dit niet kunt betalen, kun je dat beter nu zeggen, voordat we hier straks voor schut staan.'

Barends lach schalde door de zaak heen. 'Lieve schat, ik kan de hele zaak opkopen als ik dat wil. Nee, dat is zeker het probleem niet,' lachte hij vermakelijk. 'Maar ik heb geen greintje verstand van mode.'

'Dat geeft niet. Daar heb je mij nu voor.' Pamela keek hem stralend aan, gerustgesteld door zijn antwoord. Heel even was ze bang geweest dat Barend zijn volledige kapitaal in het hotel had gestoken en er niets meer over was van zijn miljoenenprijs. Gelukkig bleek dat niet zo te zijn, gezien zijn opmerking. Het was dus een goede beslissing geweest om contact met hem te blijven houden, dacht ze voldaan bij zichzelf. Ze had bij hun eerste ontmoeting al heel goed gemerkt hoezeer deze man onder de indruk was van haar verschijning, iets wat haar bijzonder goed uitkwam toen ze eenmaal zijn ware identiteit wist.

Onder haar leiding schafte Barend enkele pakken met bijpassende overhemden en stropdassen aan, daarna nam ze hem mee naar een schoenenzaak en een opticien omdat zijn bril, naar haar mening, eveneens verouderd was. Ze zocht een gouden montuur voor hem uit, wat hem bijzonder gedistingeerd stond.

Barends gedachten gleden terug in de tijd. Vlak na het winnen van de prijs had hij ook een bril met een gouden montuur gekocht, herinnerde hij zich. Marga had dat helemaal niets gevonden. Zij vond hem in zijn oude kleding leuker dan in zijn maatpakken, had ze ooit eens beweerd. Maar Marga leefde niet meer. Hoeveel pijn dat hem ook deed, hij kon die harde realiteit niet verbloemen. Marga was dood, maar hij leefde nog en hij moest verder, hoe dan ook. Lange tijd had hij het gevoel gehad dat het leven voor hem niet meer hoefde, maar nu, met Pamela, was dat anders. Dankzij haar kon hij weer genieten en blij zijn. Het feit dat zij zo veel belang hechtte aan uiterlijk vertoon, vergaf hij haar dan ook met liefde. Eigenlijk was het best weleens leuk om zo veel aandacht aan zijn uiterlijk te besteden. Hij had dat laten versloffen omdat het hem niet meer interesseerde, maar het beeld van hemzelf in de spiegel van de opticien beviel hem wel. Hij besloot ter plekke ook een kapper te bezoeken om zijn verwarde haardos een opknapbeurt te laten geven, een besluit dat Pamela van harte toejuichte.

'Je bent nog knapper dan ik dacht,' vleide ze nadat de kapper zijn haren had omgetoverd in een strak kapsel.

'En nu gaan we ergens eten,' besloot Barend met een blik op zijn horloge.

'Als het maar niet in het hotel is,' bedong Pamela. 'Daar is altijd wel iemand die je aandacht vraagt of die iets van je wil. Voor je het weet sta je weer achter die receptie en zit ik in mijn eentje in de eetzaal. Ik wil je graag voor mij alleen hebben.'

'Maak je geen zorgen, we zoeken een leuk restaurant,' beloofde Barend haar, gevleid door haar woorden.

Ze straalde. 'Ik weet wel iets.'

Op haar aanwijzingen stopte hij even later zijn wagen bij een zeer exclusief restaurant, dat regelmatig in de media was omdat de eigenaar en tevens chef-kok ook voor een televisieprogramma kookte. Het restaurant had onlangs zijn derde ster in de wacht gesleept.

Barend voelde zich niet echt op zijn gemak in de luxe entourage. Pamela stapte echter naar binnen alsof ze hier hoorde. Op dat moment vond hij het jammer dat de pakken die hij vandaag had gekocht eerst op maat gemaakt werden voor hij ze ontving. In zijn lichtgrijze broek en donkerblauwe jasje voelde hij zich *underdressed*. Als Pamela hem er niet op attent had gemaakt dat het jasje van twee jaar geleden was, had hij zich daar nooit druk om gemaakt, maar nu voelde hij zich in verlegenheid gebracht door deze wetenschap.

'Ik heb deze zaak ontdekt toen ik vorige keer in jouw hotel logeerde,' zei Pamela. 'Het eten is hier uitstekend.'

'Ongetwijfeld.' Onzeker keek Barend om zich heen vanaf hun tafeltje bij het raam. 'Ik ben hier nog nooit geweest. Marga en ik gingen eigenlijk nooit uit eten. Vroeger hadden we er het geld niet voor en later waren we druk met het hotel.'

'Dan heb je heel wat gemist.' Pamela hief haar glas naar hem op. 'Je zou vaker uit moeten gaan, Barend. Waarom gaan we deze week niet een keer naar de schouwburg? Er speelt ongetwijfeld wel iets wat we allebei interessant vinden.'

'Dat lijkt me een goed plan. Ik geloof dat ik wel iets in te halen heb.'

'Dat weet ik wel zeker. Je hebt in je leven zo veel gewerkt dat je niet beter meer weet,' beweerde Pamela lachend. 'Zonde van al dat geld dat weg staat te teren op je bankrekening, want daar kun je heel leuke dingen mee doen.'

'Doe eens een voorstel,' zei hij uitnodigend.

Pamela tuitte haar lippen en deed of ze diep nadacht. 'We zouden samen eens naar Australië kunnen gaan,' zei ze toen. 'Naar mijn dochter. Aansluitend zouden we een rondreis kunnen maken. Australië is een schitterend land.'

'Klinkt goed. Daar moet ik inderdaad eens over nadenken,' zei hij.

Pamela boog zich iets naar voren, zodat haar ogen vlak bij de zijne waren. 'Je moet juist niet nadenken, maar doen. Spring eens in het diepe, waag die sprong. Waar zou je op moeten wachten?'

Barend hield zijn adem in. Met haar gezicht zo dicht bij het zijne werd hij overvallen door een stormvloed van emoties. Het liefst wilde hij haar knappe gezicht in zijn handen nemen om haar vervolgens lang en uitgebreid te zoenen. Hij had nooit durven dromen ooit nog dergelijke gevoelens te mogen ervaren.

'Ik heb een hotel,' zei hij, met moeite zijn verstand gebruikend. 'Ik kan niet zomaar weg wanneer ik wil.'

'Natuurlijk wel.' Pamela lachte aantrekkelijk. Ze pakte zijn hand en streelde zachtjes met haar duim over zijn handpalm. 'Jij kunt alles, jij bent de baas. Neem desnoods wat extra personeel aan. De baas hoeft niet zelf te werken, Barend, zolang hij maar kan delegeren.'

'Waarschijnlijk heb je gelijk,' zei hij schor. Langzaam en uiterst teder bracht hij haar hand naar zijn lippen, waarna hij er een voorzichtige kus op drukte. 'Ik ben blij dat jij in mijn leven bent verschenen.'

'We hebben elkaar nodig,' zei Pamela zacht.

Ze trok haar hand niet terug, wat hem overmoedig maakte. Hij realiseerde zich dat hij voor het eerst in zijn leven bezig was een vrouw het hof te maken. Met Marga was het destijds als vanzelf gegaan. Het was een jeugdige verliefdheid geweest die automatisch uitmondde in een huwelijk omdat ze ongepland zwanger raakte van Sjoerd. Hij had er overigens nooit spijt van gehad. Marga was een goede vrouw geweest voor hem, hij had oprecht van haar gehouden. Maar Marga behoorde tot het verleden, en Pamela was wellicht zijn toekomst. Op dit moment wilde Barend niets liever.

Het eten dat voor hon word neergezet, schoof hij achteloos opzij terwijl hij haar strak aan bleef kijken. 'Waarom slaap je eigenlijk in het hotel? Ik heb thuis plaats genoeg,' zei hij bijna onhoorbaar en ietwat onhandig. Gespannen wachtte hij op haar reactie, die niet lang op zich liet wachten.

Ze keek hem stralend aan. 'Daar hoopte ik al op,' was haar antwoord.

Zijn hart ging wild tekeer in zijn borstkas. Was een dergelijk geluk dan toch nog voor hem weggelegd? Hij durfde het amper te geloven. Met Pamela aan zijn zijde leek er een nieuwe wereld voor hem open te gaan. Een wereld waar hij vroeger van gedroomd had. Etentjes buiten de deur, verre reizen, uitgaan, het was er allemaal nooit van gekomen. Marga had er ook niet van gehouden, die was tevreden als ze thuis was. Nu kon het ineens wel. Pamela had gelijk, hij hoefde helemaal niet te werken. Hij had geld genoeg om de rest van zijn leven op zijn lauweren te rusten als hij dat wilde.

'Ik ga met je mee naar Australië,' zei hij ineens. 'Voor minstens een maand, daarna zien we wel weer verder.'

Pamela's lippen krulden tot een glimlach. Omdat ze snel haar ogen neersloeg, zag hij niet de triomfantelijke lichtjes die erin verschenen. Het was gemakkelijker gegaan dan ze had verwacht.

HOOFDSTUK 7

Positief. Ja, ze zag het goed, de test was echt positief! Duizelig van geluk leunde Noortje even tegen de wastafel.
'En?' Leen dook achter haar op. 'Zie je al wat?'
'Zeker weten!' Noortjes stem juichte terwijl ze hem de test voorhield. 'Kijk eens goed.'
'Betekent dat...?' Hij durfde het amper te geloven, maar Noortje knikte al.
'Ja. We krijgen een baby.'
'Fantastisch!' Hij tilde haar op en draaide haar in het rond. 'Eindelijk! Hoe voel je je?'
'Hetzelfde als een kwartier geleden, alleen gelukkiger,' grinnikte Noortje.
'Niet misselijk?'
Ze schoot in de lach. 'Leen, die misselijkheid heeft niets te maken met de test, hoor. Daar heb je last van of niet, maar het komt niet opzetten op het moment dat je de test uitvoert. Gelukkig merk ik daar nog weinig van. Ik ben alleen verschrikkelijk moe, al weken. Enfin, dat weet je.'
'Je gaat het vanaf nu rustiger aan doen,' bedong Leen. 'Die moeheid is toch een sein van je lichaam dat het hard aan het werk is. Neem lekker vrij vandaag.'
Noortje schudde haar hoofd. 'Dat wil ik niet. Maar ik beloof je dat ik geen kinderen zal tillen. Er ligt nogal wat administratie, daar ga ik me vandaag mee bezighouden.'
'Als je merkt dat het niet gaat, moet je onmiddellijk naar huis gaan,' zei hij nog.
'Goed, pa.' Noortje grinnikte. Wat leuk om Leen alvast in zijn zorgzame vaderrol te zien! Ze twijfelde er niet aan dat hij een geweldige vader zou worden. Hij verlangde er ook echt naar, dat wist ze. Net als David van Lieke. Het zou allemaal nog mooier zijn als Lieke nu ook zwanger zou worden, zodat ze deze fase van hun leven echt samen konden beleven. Leen en David zouden daardoor ongetwijfeld ook dichter naar elkaar toe groeien. De twee zwagers konden goed met elkaar overweg, maar buiten de gezinsactiviteiten om zagen ze elkaar eigenlijk nooit. Ze zochten elkaar niet op, het contact beperkte

zich tot de diverse verjaardagen en de bijzondere dagen in het hotel waar David ook bij aanwezig was. Een gedeelde zwangerschap zou behalve familie ook vrienden van ze kunnen maken, een heimelijke wens van Noortje. Hoewel David net zo goed tot de familie Nieuwkerk behoorde, hield hij zich altijd een beetje afzijdig. Dat werd nog eens versterkt door het feit dat hij de enige van het gezin was die niet in het hotel werkte. Noortje vroeg zich weleens af of Davids soms afstandelijke houding daar de oorzaak of het gevolg van was. Hij stond altijd een beetje buiten de kring, ook als hij er wel bij was.

Ze pakte haar mobiel, wat Leen de vraag ontlokte wat ze wilde gaan doen.

'Lieke bellen natuurlijk. Zij is de eerste die dit moet weten,' antwoordde Noortje als vanzelfsprekend.

Leen pakte de telefoon uit haar handen. 'Je ziet haar over een uur in het hotel. Is het niet veel leuker om het haar persoonlijk te vertellen?'

'Dat is waar,' moest ze toegeven. 'Hoewel je dan altijd het risico loopt dat anderen het ook horen. In dat geval is iedereen binnen tien minuten op de hoogte van ons nieuwtje.'

Leen begon hard te lachen. 'Lieve schat, als anderen het niet doorvertellen, doe jij het zelf wel. Wedden dat iedereen aan het einde van de dag op de hoogte is? Ik weet zeker dat jij dit niet voor je kunt houden.'

'Daar zou je eigenlijk weleens gelijk in kunnen hebben.' Noortje wierp zich in zijn armen. 'Ik ben ook zo verschrikkelijk blij en gelukkig. Het liefst zou ik nu een megafoon pakken om de hele stad deelgenoot te maken van ons geluk.'

'Het is zeven uur 's morgens, ik denk niet dat veel mensen je dat in dank af zullen nemen.'

'Ik ben zwanger, je hoort me gewoon gelijk te geven in alles wat ik wil.'

'In dat geval is het einde zoek,' plaagde Leen haar. 'Je bent zo veeleisend.'

Ze porde hem in zijn zij, een gebaar dat hij beantwoordde door haar te zoenen.

Het was een stralend gelukkig paar dat een uur later het hotel betrad. Gerda bemande de receptie, Barend was blijkbaar nog niet aanwezig. Dat gebeurde tegenwoordig zo vaak dat Noortje er niet eens verbaasd over was. Hun vader was duidelijk aan zijn tweede jeugd begonnen, zeiden ze weleens spottend onder elkaar.

'Zo, jullie zien er vrolijk uit,' begroette Gerda hen.

'Leen vertelde net iets grappigs over een van onze gasten,' verzon Noortje ter plekke. Hoe graag ze haar nieuws ook wilde delen met iedereen, Lieke was de eerste die het moest weten. Pas als zij het had gehoord, waren de anderen aan de beurt.

'Roddelen over de gasten is niet toegestaan.' Gerda keek Leen misprijzend aan. 'Jij bent altijd de eerste die dat roept.' 'Het ging over een gast die al weg is,' improviseerde Leen snel met een knipoog naar Noortje.

Lachend liep ze weg, richting Liekes kantoor. Ze trof daar echter alleen Daphne, die geconcentreerd achter haar computer zat.

'Is Lieke er nog niet?' vroeg Noortje teleurgesteld.

'Die komt vandaag later, ze moest naar de dokter,' meldde Daphne. 'Ik verwacht haar om een uur of tien.'

Dat was waar, dat had ze gisteren nog verteld, herinnerde Noortje zich. Lieke had de afgelopen weken een aantal onderzoeken ondergaan en kreeg daar vandaag de uitslagen van. Door alle consternatie van die ochtend was Noortje dat totaal vergeten. Ze hoopte dat het meeviel en dat een simpel medicijnkuurtje haar tweelingzus van haar klachten af kon helpen. Als ze tegelijkertijd zwanger wilden zijn, moest Lieke tenslotte opschieten, grinnikte Noortje in zichzelf.

Bijna huppelend liep ze naar haar eigen afdeling. De crècheruimte voor kinderen van de gasten was op dit tijdstip nog helemaal leeg, de andere ruimte was echter al goed bezet. Vooral schoonmaakpersoneel begon vroeg, zodat de openbare ruimtes er tiptop uitzagen als de gasten uit bed kwamen. Ook de eerste keukenploeg was altijd al vroeg aanwezig om het ontbijt klaar te maken. Tinka en Marlies hadden hun handen er al vol aan. Noortje begroette ze vluchtig en liep door naar haar eigen kantoortje. Er lag een behoorlijke stapel administratie op haar te wachten, maar eenmaal achter haar computer lukte het haar niet om zich daarop te concentreren. Dromerig staarde ze over haar scherm heen naar buiten. Enkele vroege gasten zaten al op het terras, genietend van het voorjaarszonnetje dat vandaag extra zijn best leek te doen.

Vanuit de crècheruimte hoorde Noortje de af en toe hoog uitschietende kinderstemmen, en de glimlach om haar lippen verdiepte zich. Kinderen vormden een belangrijk deel van haar leven, het was ongelooflijk dat ze er binnenkort zelf eentje zou krijgen. Van dit geluk had ze enkele jaren geleden niet durven dromen. Toen was ze er vast van overtuigd geweest dat het voor haar nooit weggelegd zou zijn om een eigen gezin te krijgen. Met Frits was het, door zijn ziekte, onmogelijk geweest, en de volgende man van wie ze ging houden was de vriend van haar zus, wat het er niet makkelijker op maakte. Dat voor iedereen alles toch nog op zijn pootjes terecht was gekomen, was iets waar Noortje diep dankbaar voor was. Ze beschouwde geluk zeker niet als iets vanzelfsprekends. Door haar vrijwilligerswerk in het opvangtehuis wist ze maar al te goed hoe makkelijk je in een peilloze afgrond kon glijden, vaak zonder dat je er zelf iets aan kon doen. Ziekte, geldgebrek, verslavingen, dat waren zaken waar iedereen mee te maken kon krijgen, en niet iedereen was sterk genoeg om daartegen te vechten. Mede door hun warme, liefdevolle jeugd en hun hechte gezin waren zij tot nu toe gevrijwaard van dergelijke problemen, daar was Noortje zich goed van bewust. Ze hoopte haar eigen kind straks dezelfde basis mee te kunnen geven, zodat hij of zij ook bestand was tegen dit soort ellende.

Haar eigen kind... Wat klonk dat onwerkelijk, en tegelijkertijd zo normaal. Alsof dit kindje er altijd al was geweest. Hoewel ze pas een paar uur wist dat ze moeder zou worden, hield Noortje nu al van de groeiende baby in haar lichaam.

Ze stond op en opende de deur naar de crèche om naar de spelende kinderen te kunnen kijken. Hun jongste aanwinst was pas zes maanden, Tinka was net bezig het kleine meisje de fles te geven. Noortje keek er nu met andere ogen naar dan een dag eerder. Voor haar gevoel klopte het niet dat de moeder van deze baby enkele meters verderop hard aan het werk was terwijl een andere vrouw haar kind verzorgde. Zij wilde dat straks zelf doen, dat wist ze heel zeker. Tot nu toe was ze er altijd van overtuigd geweest dat ze gewoon zou blijven werken als ze eenmaal moeder zou zijn. Tenslotte was dit haar crèche, ze kon de baby gewoon iedere dag meenemen. Toch voelde het nu ineens heel anders. Het zou te zot voor woorden zijn als zij achter haar computer bezig was met de administratie terwijl Tinka of Marlies haar kindje zou verzorgen. Waarschijnlijk zou ze de baby dan uit hun handen rukken om het zelf te doen.

De kans was groot dat ze helemaal niet meer aan haar werk toe zou komen, omdat ze alleen maar oog zou hebben voor haar baby.

'Ik dacht dat jij zo veel te doen had,' haalde de plagende stem van Leen haar uit haar gedachten.

Noortje schrok op. 'Ik was even in gedachten,' verontschuldigde ze zich.

'Niet moeilijk te raden waar die over gingen,' grijnsde Leen. Ook zijn ogen gleden naar de baby. 'Wat een schatje.'

'Die van ons wordt nog mooier en liever,' voorspelde Noortje terwijl ze de deur van haar kantoor achter zich dichtdeed. 'En ik stond er net aan te denken dat ik zelf voor hem of haar wil zorgen. Ik wil dat niet overlaten aan iemand die ervoor betaald wordt, hoe lief diegene ook is.'

'Als dat is wat je wilt, dan stop je toch met werken?' zei Leen als vanzelfsprekend.

'Meen je dat echt?'

'Liefje, het gaat om wat jij wilt. Je zit in een bevoorrechte positie, wat dat betreft. Veel moeders moeten blijven werken, al zouden ze diep in hun hart misschien liever thuis bij hun kinderen willen blijven. Jij hebt die keuze, dus maak er gebruik van.'

'Je hebt helemaal gelijk,' zei Noortje met een warme glimlach. 'Ik kan mijn leven net zo aangenaam maken als ik zelf wil. Hè, wat een heerlijk idee. Ik wil overigens wel mijn vrijwilligerswerk blijven doen, al zal dat een tijdje op een laag pitje staan. Als ik na de bevalling helemaal hersteld ben, pak ik dat gewoon weer op.'

'Jij loopt wel erg ver op de zaken vooruit. Kom eens hier.'
Leen trok Noortje in zijn armen en begon haar te zoenen.

'We zijn op het werk,' zei Noortje zonder veel overtuigingskracht in haar stem.

'Dat kan me vandaag nu eens helemaal niets schelen,' grijnsde hij. Hij gooide de map die hij in zijn handen had op haar bureau. 'Die had ik bij me als excuus, zodat het net leek of ik iets moest bespreken met je, maar eigenlijk kwam ik alleen omdat ik je even moest zien en omdat ik je wilde kussen.'

'Prima idee van jou,' prees Noortje terwijl ze haar gezicht naar hem ophief. Ze verloren zich in een omhelzing die eindeloos duurde, met een nieuwe intensiteit, veroorzaakt door het kleine wezentje in Noortjes buik. Noortje had nooit geweten dat geluk zo veelomvattend kon zijn. Ze had het gevoel of ze op knappen stond. Lieke moest heel snel komen, voordat ze ontplofte en haar geheim aan iedereen vertelde die toevallig in de buurt was. Ze kon het onmogelijk nog lang voor zich houden.

Lieke bevond zich op dat moment echter in de spreekkamer van de gynaecoloog. Het gezicht van de man tegenover haar stond ernstig en onwillekeurig kneep ze hard in Davids hand. Ook zijn gezicht was bleek en strak, zag ze met een snelle blik opzij. Zelf voelde ze haar hart als een razende tekeergaan in haar borstkas. Instinctief voelde ze aan dat haar niet veel goeds te wachten stond.

'Het spijt me, ik heb geen goed nieuws voor u,' zei de arts, die zich voorgesteld had als dokter Prinsen, inderdaad. Hij keek haar niet aan, maar hield zijn blik gericht op het dossier voor hem, waar alle uitslagen van de onderzoeken in vermeld stonden. 'Uit het onderzoek is gebleken dat u in de overgang bent.'

'Wat?' Lieke begon te lachen. 'U maakt een grapje.'

'Helaas,' zei de arts. 'De uitslagen zijn overduidelijk. De waarden van uw FSH en LH zijn enorm hoog, terwijl er maar heel weinig oestrogenen in uw bloed zitten.'

'Dat kan niet. Ik ben zevenentwintig.'

'Een vervroegde overgang. Het komt vaker voor, jammer genoeg.'

'Hoe kan dat?' vroeg David nu. 'Wordt het veroorzaakt door een aandoening of zo?'

Dokter Prinsen schudde zijn hoofd. 'De oorzaak is onduidelijk. Zijn er meerdere vrouwen in uw familie die vervroegd in de overgang zijn gekomen?' wendde hij zich tot Lieke.

'Niet dat ik weet. Mijn moeder in ieder geval niet, en mijn zussen zijn van mijn leeftijd en die hebben geen klachten,' antwoordde ze.

'Soms is het erfelijk. Als dat niet het geval is, is de kans slechts één à twee procent. De oorzaak hiervoor is nog niet bekend.'

'Maar het kan toch wel behandeld worden?' vroeg Lieke. Ze kneep Davids hand haast fijn. Na alle onderzoeken die ze had ondergaan was ze op het ergste voorbereid geweest, maar deze diagnose was geen seconde in haar opgekomen. Wie dacht daar nu aan op haar leeftijd? Ze had er zelfs nog nooit van gehoord. De overgang hoorde bij vrouwen van middelbare leeftijd die volwassen kinderen hadden, niet bij iemand die nog een gezin wilde stichten.

Weer schudde dokter Prinsen zijn hoofd. 'De eierstokken reageren niet meer op de normale hormoonstimulatie vanuit de hersenen, dus ook niet op stimulatie met hormoonpreparaten,' legde hij uit. 'Er kan sprake zijn van antistoffen tegen de eigen eierstokken, maar die zijn heel moeilijk op te sporen, en zelfs als we die vinden, maakt dat de kans op een zwangerschap niet groter.'

'Ik kan dus nooit zelf kinderen krijgen?' Liekes woorden bleven in de spreekkamer hangen.

David trok wit weg bij deze vraag. 'Natuurlijk wel!' viel hij uit. 'Ze kunnen tegenwoordig zo veel.'

'Helaas zijn onze mogelijkheden beperkt,' zei de arts echter eerlijk. 'Er zijn gevallen bekend waarbij een vrouw in de overgang toch nog zwanger raakt, maar dat zijn uitzonderingen. Het lichaam gaat een nieuwe fase in, eentje waarbij geen zwangerschap meer hoort.'

'Maar dat is belachelijk! Lieke is zevenentwintig, het slaat nergens op. Er moet toch een behandeling mogelijk zijn? Je hoort tegenwoordig alleen maar verhalen over vruchtbaarheidsbehandelingen, de medische wetenschap is daar al heel ver in,' hield David vol.

'Niet waar het de overgang betreft. We hebben helaas niet

alles in de hand, hoe graag ik u ook zou willen helpen,' zei
dokter Prinsen kalm.

'En hormonen dan?' vroeg Lieke. 'Ik bedoel, mijn lichaam
maakt geen oestrogeen meer aan, zei u net. Daar kan ik dan
toch pillen voor slikken?'

'Ik ga u sowieso hormonen voorschrijven, want uw lichaam
heeft dat nodig om de risico's op bontontkalking en hart-
en vaatziektes te bestrijden. Die kunnen het proces echter
niet tegenhouden. Ze hebben wel een gunstig effect op de
normale overgangsklachten, voor zover we in uw geval van
normaal kunnen spreken. De opvliegers, de hartkloppingen,
de nachtelijke zweetaanvallen, noem maar op. Het is echter
niet zo dat uw lichaam op het gebied van kinderen krijgen
weer gewoon functioneert als die klachten straks uitblijven.
IVF of hormoonstimulatie om zwanger te worden hebben
geen zin. Uw lichaam produceert namelijk zelf al grote hoe-
veelheden FSH-hormonen.' Hij keek haar met medelijden
in zijn ogen aan. 'Het spijt me. Ik had u graag iets anders
willen vertellen.'

'Ik had ook heel graag iets anders willen horen,' zei Lieke
schor. De consequenties van deze diagnose drongen nog niet
helemaal tot haar door, maar de boodschap dat ze nooit zelf
een kind zou kunnen krijgen, was wel binnengekomen.

'Het lijkt me het beste als u dit eerst even laat bezinken,'
zei dokter Prinsen. 'Ik zal u wat informatiefolders over dit
onderwerp meegeven die u thuis rustig door kunt lezen, dan
praten we volgende week verder.'

'Wat heeft dat voor nut? U kunt ons toch niet helpen,' zei
David scherp.

'Niet met uw kinderwens, maar wel met de bijkomende
klachten en risico's. Maar dat leg ik jullie volgende week
allemaal uit. Dat dringt nu toch niet door, vrees ik. Eventueel kan ik jullie ook een doorverwijzing naar een psycholoog
geven.'

David lachte schamper. 'We zijn niet gek. Kom mee, Lieke,
dan gaan we op zoek naar een arts die wel iets voor ons kan
doen. Iemand die zich gespecialiseerd heeft in deze proble-
matiek. Een arts die zich verder ontwikkeld heeft dan deze
dorpsdokter.' Zijn stem klonk laatdunkend.

'Uiteraard staat het u vrij een second opinion te vragen, maar verwacht u alstublieft niet te veel,' zei de arts kalm, zonder in te gaan op de belediging van David. 'We kunnen veel, maar de natuur laat zich nu eenmaal niet altijd dwingen.'

'Dat zullen we nog weleens zien.' Met lange passen beende David de spreekkamer uit, zonder te groeten.

Lieke maakte een verontschuldigend gebaar naar de arts. 'Sorry,' zei ze zacht.

'Ik begrijp het wel, ik maak wel vaker boze reacties los.' Dokter Prinsen schudde haar hartelijk de hand. 'Als u wilt, kunt u bij mijn assistente een vervolgafspraak maken. In ieder geval wens ik u heel veel sterkte.'

Het maken van een nieuwe afspraak sloeg Lieke maar even over. Dat kon ze altijd nog telefonisch doen. Nu ging ze eerst op zoek naar David. Ze vond hem buiten op het parkeerterrein, waar hij rusteloos heen en weer liep.

'Was dat nu nodig?' vroeg ze zachtzinnig. 'Het is niet de schuld van de dokter, David.'

'Die man is gek,' zei hij minachtend. 'Hier leggen we ons niet bij neer, Lieke. We gaan op zoek naar de beste specialist die er te vinden is.'

Lieke zweeg. Hoewel de diagnose 'vervroegde overgang' niet in haar opgekomen was, had ze diep in haar hart al geweten dat het een hopeloze zaak was. Ze zou nooit zwanger worden, nooit een kind van haarzelf in haar armen houden. Geen enkele dokter, hoe knap ook, kon daar verandering in brengen. De natuur ging in dit soort zaken haar eigen gang, hoe wrang het ook was. Haar lichaam was veel te vroeg aan het verouderingsproces begonnen en dat was niet meer terug te draaien. Vreemd genoeg voelde ze ook een vaag soort opluchting. De onzekerheid waar ze al maanden mee te kampen had was nu in ieder geval weg, ze wist waar ze aan toe was. Nu nog een manier zoeken om dat te verwerken.

HOOFDSTUK 8

Eenmaal thuis zaten ze zwijgend tegenover elkaar, tot David bruusk opstond. 'Ik moet een borrel.'
'David, het is kwart over tien 's morgens,' zei Lieke voorzichtig.
'Nou en? Onze wereld is net ingestort. Die ene borrel maakt dan ook niets uit.' Hij opende de bar en schonk een flink glas jenever in. Vervolgens hield hij het glas naar haar omhoog. 'Jij ook?'
'Nee, dank je wel,' zei ze vol afkeer. 'Ik vind dit echt niet normaal.'
'Ik vind het niet normaal dat zo'n doktertje denkt dat hij de wijsheid in pacht heeft,' foeterde David.
'Hij heeft ervoor gestudeerd,' zei Lieke nuchter.
Hij snoof minachtend. 'Alsof dat alles zegt. Hij is gewoon gynaecoloog, geen vruchtbaarheidsspecialist.'
'Hij zal ongetwijfeld verstand van zaken hebben. Als hier iets aan te doen zou zijn, had hij ons wel doorverwezen.'
'Of hij weet niet wat er op dit gebied allemaal mogelijk is,' zei David weer.
'Dokters houden ook hun vakliteratuur bij.'
'Verdomme Lieke, je praat alsof je je er al bij hebt neergelegd,' viel hij onverwachts uit.
'Ik denk dat we de feiten onder ogen moeten zien,' zei Lieke zacht. 'Ik ben in de overgang. Het is onvoorstelbaar en bizar, maar het is niet anders. Geen honderd dokters kunnen dat terugdraaien of stoppen. Net doen of er niets ergs aan de hand is, helpt hierbij niet.'
David keek haar verbijsterd aan. 'Hoe kun je dat zeggen? Je geeft niet op, hoor.'
'Er valt weinig op te geven. Feiten zijn feiten.'
'Lieke, hou op! Er moet iets aan te doen zijn, ik weiger iets anders te geloven,' zei hij koppig.
'Je helpt jezelf niet door je kop in het zand te stoppen,' weerlegde Lieke. 'Volgens mij doen we er beter aan om de realiteit onder ogen te zien en te bekijken hoe we daarmee omgaan.'
'De realiteit is dat er honderden specialisten zijn die ons

waarschijnlijk wel kunnen helpen.'

Lieke leunde vermoeid naar voren. Misschien moest ze bewondering hebben voor het feit dat David de hoop niet zo snel opgaf, maar op dit moment voelde ze alleen maar weerstand tegen zijn houding. Hij deed alsof hij de wijsheid in pacht had en alsof die dokter niet wist wat hij zei. Daarbij was hij alleen met zichzelf bezig. Hij had nog niet één keer gevraagd hoe zij zich voelde onder die verpletterende uitslag.

'Ik ga mijn energie niet steken in een verloren zaak,' zei ze.

Opnieuw stond David op om zijn glas te vullen. Zijn ogen werden waterig en zijn handen trilden, zag Lieke. 'Dat is dus dat?' vroeg hij cynisch. 'Je stopt nog voordat we goed en wel begonnen zijn? Wat een laffe houding, ik had van jou wel iets anders verwacht. Kan het je dan helemaal niets schelen hoe ik me hieronder voel? Ik wil vader worden, Lieke. Een echte vader, van mijn eigen kind, dus kom niet aan met adoptie of iets dergelijks.'

'Dat was nog niet in me opgekomen,' zei ze naar waarheid.

'Een andere mogelijkheid is er niet als jij weigert behandelingen te ondergaan.'

'David, ik heb nog geen uur geleden te horen gekregen dat ik nooit zwanger zal worden, ik ben echt nog niet zover dat ik de aanvraag voor adoptie heb gedaan,' reageerde Lieke ongeduldig. 'Mag ik deze diagnose misschien eerst even verwerken?'

Hij lachte schamper. 'Verwerken? Dat betekent niets anders dan achteroverleunen en zwelgen in zelfmedelijden. Je kunt er beter iets aan doen. Ik ga straks meteen op internet op zoek naar specialisten op dit gebied. Ik ben niet van plan me zomaar neer te leggen bij de mening van de eerste de best arts die we geconsulteerd hebben.' Hij dronk zijn glas leeg en zette het met een klap op tafel. 'En jij ook niet,' liet hij er dreigend op volgen.

Lieke verbleekte. Ze begreep dat David van slag was, maar zo kende ze hem helemaal niet. Het minste wat ze verwacht had, was een arm om haar heen en wat troostende woorden. Behalve het verdriet dat ze voelde, kwam er nu ook woede bij haar boven. 'Dat maak ik zelf wel uit,' schreeuwde ze dan ook met flikkerende ogen. 'Wie denk je dat je bent om over mijn lichaam te kunnen beslissen? Waar haal je überhaupt het recht vandaan om je zo te gedragen? Je bent mijn man, je zou me juist moeten steunen.'

'Je gedraagt je anders niet alsof je steun nodig hebt,' zei hij schamper. 'Je doet alsof er niets aan de hand is, alsof het je niet raakt. Je legt je er zonder meer bij neer, zonder dat je bereid bent te vechten. Wil je eigenlijk wel echt een kind?'

'Kijk uit met wat je zegt, ook jij kunt te ver gaan,' zei ze gevaarlijk kalm.

'Dat is geen antwoord,' dramde hij door. Weer vulde hij zijn glas.

Lieke stond op. 'Ik ben niet van plan om met je in discussie te gaan terwijl je halfdronken bent,' zei ze kort. 'Jij grijpt tegenwoordig om het minste of geringste naar de fles, maar door te drinken worden je problemen echt niet minder. Integendeel. Ik durf niet eens met je naar een specialist, want ik ben bang voor hoe je reageert als zo'n man hetzelfde zegt als dokter Prinsen.'

'Wat een verschrikkelijk slap excuus om het erbij te laten,' hoonde hij. 'Geef mij de schuld maar, daar kun je je makkelijk achter verschuilen. Ik drink een glaasje omdat ik verdriet heb, ja. Goh, wat een misdaad. Het schijnt jou niet te deren, maar voor mij is deze diagnose een harde klap, dat durf ik best toe te geven. Ik wil al jaren niets liever dan vader worden. Jij had die wens kunnen verwezenlijken als je eerder met de pil was gestopt, zoals ik je talloze keren heb gevraagd. Maar nee, mevrouw moest zo nodig werken. Een bedrijf opstarten. Zichzelf bewijzen. Ik, je echtgenoot, mocht vooral niet te veel zeuren over een gezin, want daar was mevrouw nog niet aan toe. Nu is het wellicht te laat, maar mag ik weer mijn mening niet geven. Je wordt bedankt, Lieke. Als het je bedoeling was om mijn leven te verpesten, dan is dat je prima gelukt.'

Lieke stond als een standbeeld bij de kamerdeur. Zijn tirade raakte haar recht in haar hart. Ook al hield ze zichzelf voor dat het niet David was die dit zei, maar de alcohol, het deed haar ontzettend veel pijn. Haar wereld was net ingestort en nu beweerde haar man ook nog even dat het haar eigen schuld was. Juist degene die haar zou moeten steunen keerde zich nu tegen haar, zo voelde het. Als een zombie liep ze weg. Nu tegen hem ingaan had geen enkel nut, dat was wel duidelijk. Er was geen normaal woord met David te wisselen. De klap van de uitslag en de uitwerking van de alcohol op dit vroege uur veranderden hem in een vreemde voor Lieke.

'Waar ga je heen?' Hij kwam achter haar aan en pakte haar ruw bij haar arm.

'Mezelf bewijzen op mijn werk,' antwoordde ze hatelijk.

'Ga niet weg. Laten we erover praten.'

Ze schrok toen ze zag dat er tranen over zijn gezicht liepen, maar medelijden kon ze op dat moment niet opbrengen. Ongeduldig schudde ze zijn hand van haar arm af. 'Niet nu. Word eerst maar eens nuchter,' zei ze kortaf.

'Ik ben niet dronken, alleen verdrietig.'

'Ik ook, David, ik ook. Dat reageer ik echter niet af door jou beschuldigingen naar je hoofd te gooien die nergens op slaan. We hadden hier samen om kunnen huilen als je me die kans had gegeven.'

'Dat kan alsnog. Blijf alsjeblieft bij me. Laat me nu niet alleen,' smeekte David.

Hij sprak met dubbele tong en met afkeer realiseerde Lieke zich dat hij werkelijk bezig was dronken te worden en niet slechts aangeschoten. David was een liefhebber van sterke drank en daar kon hij weleens in doorslaan, maar zo had ze hem nog nooit meegemaakt.

'We praten vanavond wel verder,' zei ze terwijl ze de buitendeur opende en naar buiten stapte. 'Als je daar tenminste toe in staat bent,' liet ze er vinnig op volgen. Met een harde klap trok ze de deur achter zich in het slot. In de gang hoorde ze David huilen, maar ze vermande zich en liep weg.

Haar hoofd bonkte alsof haar hersens eruit wilden springen. Druppeltjes zweet liepen van haar voorhoofd af naar beneden. Haar ogen prikten, maar bleven droog. De klappen van deze ochtend waren zo hard aangekomen dat ze er niet eens om kon huilen. Kon ze dat maar wel, dan voelde ze zich misschien iets beter. Automatisch stapte ze in haar auto, waar ze suf voor zich uit bleef zitten staren. Haar rinkelende mobiel negeerde ze, die pakte ze pas uit haar tas nadat de beltoon verstomd was. Noortje, zag ze. Ze had trouwens ook al een oproep gemist van Daphne. Niet zo vreemd, want het was nu over elven en ze had aangegeven rond tienen te zullen komen. Normaal gesproken zou ze de rest van de dag vrij nemen om samen met David deze klap te kunnen verwerken, maar zoals hij nu was, zag ze daar het nut niet van in. Op dit moment kon ze juist beter niet thuis zijn.

Werktuiglijk startte ze haar auto en zonder er verder bij na te denken reed ze de bekende weg naar het hotel. Alle gedachten aan de uitslag en aan David had ze uitgeschakeld. Ze moest wel, dat was op dit moment de enige manier om niet compleet door te draaien. Het was alsof ze vanaf een afstandje naar zichzelf keek. Of er een vreemde in haar lichaam zat.

Noortje liep net door de brede hal en zag zodoende de auto van Lieke aan komen rijden. Eindelijk! Ze had die ochtend al een paar keer op het punt gestaan haar grote nieuws eruit te flappen en nu kon ze het dus eindelijk aan iemand kwijt. Snel liep ze naar buiten, ze had niet eens het geduld om te wachten tot Lieke uitgestapt was. Ze rukte de passagiersdeur open, stapte in en gooide het er onmiddellijk uit. 'Liek, ik ben zwanger!' Haar stem juichte.

'Gefeliciteerd. Ik ben in de overgang en dus onvruchtbaar,' was Liekes cynische reactie.

Pas toen zag Noortje het bleke, strakke gezicht van haar tweelingzus. Ze sloeg geschrokken haar hand voor haar mond. 'Dat meen je niet,' bracht ze met moeite uit.

'Ik zou willen dat het een grapje was,' zei Lieke wrang. 'Helaas is het maar al te waar. We hebben net de uitslagen gehad. Vervroegde overgang, niets meer aan te doen.'

'Maar dat kan niet! Ze zijn tegenwoordig zo knap. Je moet niet meteen de moed opgeven, hoor.'

'Zeg, hou op. Je lijkt David wel.' Lieke trok het sleuteltje uit het contact en wilde uitstappen, maar Noortje hield haar tegen.

'Wacht even, je kunt niet zomaar weglopen.'

'Ik moet aan het werk.'

'Dat werk loopt niet weg,' zei Noortje resoluut. Ze trok Lieke aan haar arm terug op de stoel en sloot de portieren. 'Vertel alles nu eens rustig.'

Lieke trok met haar schouders. Over het stuur heen staarde ze door de voorruit. 'Er valt verder weinig te vertellen. De uitslagen waren overduidelijk en volgens die arts is er geen behandeling mogelijk om de kans op een zwangerschap te vergroten. Het enige wat ze kunnen doen, is hormonen toedienen om de klachten die gepaard gaan met de overgang te verminderen.'

'En de oorzaak?' wilde Noortje weten. 'Er moet toch een reden voor zijn, is die ook niet behandelbaar?'

'Ze weten niet hoe het komt. De kans dat het je treft is ongeveer anderhalf procent. Net zo groot dus als de hoofdprijs in de loterij te winnen. Ik val dus dubbel in de prijzen, het is mij allebei overkomen.'

'Wat erg voor je.' Noortje pakte Liekes hand vast. 'Het spijt me dat ik je meteen zo enthousiast overviel. Als ik dit geweten had, had ik natuurlijk mijn mond gehouden.'

'Ik was er toch wel een keer achter gekomen,' zei Lieke met een klein lachje. 'Ik ben trouwens echt blij voor je, Noor, al valt het natuurlijk even rauw op mijn dak.'

'En nu? Wat gaan jullie nu doen?'

'Daar zijn we nog niet helemaal uit,' hield Lieke zich op de vlakte. 'Het moet nog even bezinken, denk ik.'

'Daar moet je wel de tijd voor nemen, hoor,' bedong Noortje. 'Het is niet niks, wat je zomaar even te horen hebt gekregen. Wat doe je hier eigenlijk? Ga naar huis, naar je man. Dit moeten jullie samen verwerken.'

Dat was het moment waarop Lieke brak. Ze sloeg haar handen voor haar gezicht en barstte in snikken uit. Haar schouders schokten. 'Samen?' hikte ze. 'Dat moet je David vertellen.'

Noortje wreef over Liekes rug. Ze verwenste de kleine ruimte waarin ze zaten, waardoor het onmogelijk was om haar zus troostend te omhelzen. Geduldig wachtte ze tot de hevige huilbui afnam, wat enkele minuten duurde.

'Sorry,' zei Lieke zonder haar aan te kijken. 'Dat was niet mijn bedoeling.'

'Je zult het nodig gehad hebben,' merkte Noortje nuchter op.

'Wat is er met David aan de hand?'

'We hebben ruzie.' Lieke vertelde nu precies wat er tussen David en haar voorgevallen was. 'Hij heeft me niet één keer gevraagd hoe ik erover denk of hoe ik me voel,' eindigde ze triest.

'Val hem niet te hard af,' probeerde Noortje haar op te beuren, al was ze het liefst direct naar David toe gegaan om haar zwager eens flink de waarheid te zeggen. Lieke had het echter al moeilijk genoeg zonder dat zij, Noortje, haar echtgenoot te lijf ging. 'De diagnose is bij hem ook als een mokerslag binnengekomen. Iedereen weet hoe graag hij vader wil worden.'

'Dat geeft hem niet het recht mij verwijten te maken.'

'Jullie zouden er eens een paar dagen samen tussenuit moeten,' bedacht Noortje. 'Met zijn tweeën, zonder andere mensen erbij, zodat jullie er rustig over kunnen praten.'

'Hò ja, gezellig een heel weekend lang ruzie maken met een zuiplap,' zei Lieke sarcastisch.

Noortje schrok van de felle toon in haar stem. 'Is het zo erg?' vroeg ze onzeker.

'Ach nee, laat maar. Doe maar net of ik dat niet gezegd heb.' Lieke wreef met een zakdoekje over haar gezicht en snoot haar neus. 'Als de eerste klap een beetje is weggeëbd, zal deze ruzie best wel uitgepraat worden. We waren vanochtend allebei niet op ons best.'

Noortje keek haar peilend aan. 'Je hoeft je voor mij niet groot te houden, dat weet je. Hebben jullie problemen?'

'Ik maak me wel zorgen om zijn drinkgedrag,' bekende Lieke. 'Het begint de spuigaten uit te lopen. Langzaam maar zeker is dat erin geslopen, al ontkent hij in alle toonaarden dat hij te veel drinkt. Hij heeft ook steeds wel een reden. Om elf uur vanochtend had hij al drie glazen jenever op. Dat mocht volgens hem wel na dat gesprek met die dokter, want hij had het moeilijk. Maar als de uitslag gunstig was geweest, had hij precies hetzelfde gedaan met als reden dat hij iets te vieren had, daar ben ik inmiddels wel achter. Hij verzint de excuses om te drinken ter plekke.'

'Dat klinkt als een serieus probleem,' zei Noortje bedachtzaam. Ze liet niet merken hoe geschokt ze was door Liekes verhaal. Natuurlijk had ze weleens gemerkt dat er iets aan schortte bij haar zus en zwager, maar dat had ze geschaard onder de normale problemen die ieder stel op zijn tijd heeft. 'Ik wilde dat ik iets kon doen om je te helpen.'

'Ik ook.' Lieke glimlachte naar haar tweelingzus. 'In ieder geval ben ik al blij dat ik er eens over heb kunnen praten.'

'Aarzel nooit om naar me toe te komen als je iets kwijt wilt. Je weet dat je altijd bij mij en Leen terecht kunt. Ik hoop dat mijn zwangerschap daar niets aan verandert. Het moet moeilijk voor je zijn om daarmee geconfronteerd te worden.'

'Jouw zwangerschap is een reden om blij te zijn, hoe dan ook,' zei Lieke echter hartelijk. 'Ik zou me echt niet beter voelen als jij ook vruchtbaarheidsproblemen zou hebben.'

'Toch voel ik me een beetje schuldig,' bekende Noortje.

'Zeg, ben jij helemaal gek?' Ondanks de beperkte ruimte pakte Lieke Noortje bij haar schouders vast. 'Jij moet gewoon lekker van deze periode genieten, zonder stil te staan bij mijn gevoelens. Verdriet heb ik toch wel, maar dat wordt niet minder als jij je vreugde niet durft te laten zien.'

Op dat moment werd er driftig op de autoruit getikt. Opkijkend zagen ze Froukje staan. Een zeer nijdige Froukje. 'Wat zijn jullie in vredesnaam aan het doen?' viel ze uit zodra Noortje haar portier had geopend. 'Leen loopt jullie te zoeken, niemand wist waar jullie waren.'

'Dus moest jij je er weer even mee bemoeien,' zei Noortje ironisch. 'Jij moet je eens bij je eigen werkzaamheden in je kapsalon houden.'

'Ik doe mijn werk tenminste,' gaf Froukje hatelijk terug.

'Volgens mij hoort het berispen van andere medewerkers dan die van je kapsalon daar anders niet bij.'

'Geef daar dan ook geen reden voor. Ook al ben je mede-eigenaar, dat geeft je niet het recht om zomaar tijdens het werk weg te lopen en de anderen voor je klusjes op te laten draaien. Het lijkt wel of iedereen steeds gemakzuchtiger wordt,' foeterde Froukje verder.

'Soms zijn andere zaken belangrijker dan het hotel,' zei Noortje rustig.

'Als we allemaal zo gaan denken, is er al snel geen hotel meer.'

'Stel je niet zo aan!' zei Noortje nu kwaad. 'We zijn er een halfuurtje tussenuit geweest, dat is alles. Jij bent er destijds op stel en sprong maandenlang vandoor gegaan.'

Het viel stil na die woorden. Froukje keek Noortje gepijnigd aan. 'En wiens schuld was dat?' vroeg ze toen cynisch. Daarna draaide ze zich om en liep weg.

'Dat was niet echt een handige opmerking van je,' zei Lieke. 'Nu heb je door mijn schuld ook nog ruzie met Froukje.'

'Ik maak het straks wel goed met haar, maak je daar maar geen zorgen om,' sprak Noortje hartelijk terwijl ze haar arm door die van Lieke stak. Snel veegde ze wat uitgelopen mascara van Liekes gezicht.

'Een beetje gelijk had ze natuurlijk wel. We kunnen onder werktijd niet zomaar doen wat we willen, we hebben onze verantwoordelijkheden.'

'Dat had ze ook op een normale toon kunnen zeggen. Froukje is erg fanatiek de laatste tijd,' zei Noortje.

'Omdat pa zich steeds meer terugtrekt,' wist Lieke. 'Dat zit haar hoog.'

'Dat is geen reden om ons uit te kafferen. Maar goed, we hebben allemaal weleens een slechte dag. Dit zal niet meteen uitmonden in een hoogoplopende familieruzie,' meende Noortje nuchter. 'Kom Liek, we gaan naar binnen. Red je het? Niemand zal het je kwalijk nemen als je nu naar huis gaat, hoor.'

Lieke trok een grimas. 'Nee, dank je. Laat mij maar lekker werken.' Met fier opgeheven hoofd liep ze door de brede toegangsdeuren het hotel binnen. Niemand kon aan haar zien dat haar hart huilde.

HOOFDSTUK 9

Eind april deed de lente definitief zijn intrede. Het tot nu toe regenachtige weer, dat meer weghad van herfst, sloeg volledig om, en dag na dag scheen de zon uitbundig boven het hotel. Op een rustige maandagochtend zat de hele familie, Barend uitgezonderd, weer op hun vertrouwde plek achter het zwembad voor een uigebreide pauze. Gerda schonk de koffie in.

'Het is een tijd geleden dat we hier zaten,' merkte Froukje op. 'In oktober voor het laatst, geloof ik.'

Lieke knikte somber. Toen was het leven nog goed, dacht ze. Ze was met de pil gestopt en droomde samen met David van een leven met kinderen. Tegenwoordig sleepte ze zich door de dagen heen en was er niets meer over van de verwachtingen die ze toen gekoesterd had. Pijnlijk duidelijk herinnerde ze zich dat ze die dag tegen Noortje had gezegd dat ze soms bang was dat haar geluk niet kon blijven voortduren. Hoe waar was dat geweest! Haar droom van een eigen kind had ze voorgoed vaarwel moeten zeggen, ondanks een uitgebreid onderzoek dat ze na aandringen van David toch nog had laten doen. De diagnose was duidelijk. De kans dat ze nog zwanger zou worden nu haar lichaam het verouderingsproces al had ingezet, was ongeveer één op de miljoen, had de specialist gezegd. Geen enkele behandeling kon daar iets aan veranderen. Nu ze hormonen slikte namen de klachten die veroorzaakt werden door de vroege overgang iets af en voelde ze zich lichamelijk beter, maar geestelijk was het een ander verhaal. De wetenschap dat haar lichaam haar in de steek had gelaten hakte er diep in bij Lieke en Davids houding werkte er niet aan mee om dat te verbeteren. De heftige ruzie op de dag van de uitslag hadden ze uitgepraat, maar echt goed was het niet meer tussen hen. Lieke betwijfelde zelfs of het dat ooit nog zou worden. Hij praatte weinig over zijn gevoelens, wat ertoe leidde dat zij ook haar mond hield over alles wat haar bezighield. Allebei hadden ze zich op hun werk gestort in een poging de leegte die was ontstaan op te vullen. Als ze samen waren praatten ze over het weer, het hotel of het nieuws van die dag, maar niet over henzelf of hun verdriet. Daarnaast dronk hij nog steeds te veel, wat regelmatig voor nieuwe uitbarstingen zorgde.

Lieke werd uit haar gedachten opgeschrikt door Noortje, die haar aanstootte.

'Je koffie wordt koud,' zei ze.

Automatisch pakte Lieke haar beker en bracht die naar haar mond. Ze proefde niet eens dat er nog geen suiker in zat.

'Gaat het?' vroeg Noortje zacht.

Lieke knikte. Wat kon ze anders? Ze kon hier moeilijk ten overstaan van iedereen roepen dat haar leven in puin lag. Behalve Noortje wist niemand van de problemen waar ze mee worstelde. Destijds had ze niet verteld dat David en zij probeerden zwanger te raken, dus had ze ook haar mond gehouden over de vernietigende doktersuitslagen. Ze wilde niet met dit nieuws naar buiten komen nu Noortje zwanger was en alle aandacht daarnaar uitging. Iedere dag trok ze een vrolijk gezicht en verrichtte ze haar werkzaamheden in het hotel zo normaal mogelijk, alsof er in haar privéleven niets aan de hand was. Het werkte therapeutisch, had ze ontdekt. In het hotel was ze gewoon Lieke, niet de Lieke die in de overgang was en huwelijksproblemen had. Dat waren zaken waar ze alleen thuis mee moest zien om te gaan en juist haar huis vermeed ze zo veel mogelijk. Noortje, de enige die wist wat er speelde, wilde ze niet steeds lastigvallen met haar sores. Noortje was zwanger, die moest genieten van deze unieke periode in haar leven, was Liekes oordeel. Dus sloot ze zich steeds meer op in zichzelf en werd haar bedrijfje opnieuw het belangrijkste in haar leven.

'Waar is pa eigenlijk?' riep Froukje. 'Ik dacht dat hij ook zou komen, maar onze pauze is al bijna om.'

Weer schrok Lieke op. Het hele gesprek was langs haar heen gegaan, maar hier wist ze tenminste het antwoord op. 'Hij was aan de telefoon met Pamela,' vertelde ze. 'Die belde net toen ik naar buiten liep.'

'Het zal weer eens niet zo zijn,' smaalde Froukje. 'Volgens mij doet ze het expres.'

'Stel je niet zo aan. Alsof zij weet wanneer we met de hele familie pauze houden,' wees Sjoerd haar terecht.

'Ze doet er anders alles aan om pa bij ons vandaan te hou-

den,' weerlegde Froukje dat. 'Hij gaat om de haverklap naar haar toe en als hij hier is, hangt ze voortdurend aan de telefoon. Hij laat zelfs de gasten wachten voor een telefoontje van haar. Het klinkt waarschijnlijk heel vervelend, maar als medewerker hebben we eigenlijk niets aan hem momenteel.'
'Laat die man toch genieten,' kwam Sjoerd weer.
'Daar gaat het niet om. Natuurlijk vind ik het fijn dat hij gelukkig is, al heb ik mijn twijfels over Pamela, maar het gaat mij om het hotel,' hield Froukje vol. 'Zijn werk blijft liggen en moet steeds door anderen opgevangen worden. Dat is voor een periode van een paar weken niet zo'n probleem, maar het duurt te lang.' Ze wendde zich tot Leen. 'Jij bent de manager, wat vind jij hier nou van?'
'We beginnen tegen een achterstand op te lopen,' gaf hij toe. 'Ik neem veel van Barends taken over, wat ten koste gaat van mijn vrije tijd. Eerlijk gezegd heb ik er al eens aan gedacht om iemand extra aan te nemen, maar dat neemt ook een risico met zich mee. We kunnen Barend tenslotte niet ontslaan. Als hij straks weer gewoon zijn werk doet, zitten we met een man te veel.'
'In dat geval wil ik wel twee dagen minder gaan werken,' grijnsde Sjoerd.
Froukje wierp hem een verwijtende blik toe, die hij negeerde. Iedereen begon een beetje genoeg te krijgen van Froukjes fanatisme wat het hotel betrof. Stuk voor stuk hielden de leden van de familie Nieuwkerk van hun werk, maar het leven bestond voor hen uit meer dan het hotel alleen. Voor Froukje leek dat niet op te gaan. Haar leven was volledig op het hotel gericht en daar moest alles voor wijken. Erger nog, ze probeerde haar broer en zussen ook zo gek te krijgen. Nou, bij Sjoerd ging dat in ieder geval niet lukken. Het hotel was zeker belangrijk voor hem, zijn gezin stond daar echter nog boven.
'Ik wil er het liefst zo min mogelijk vreemden bij,' zei ze nu. 'Het is ons hotel, een familieproject. Dat moeten we zo houden.'
'Je kunt mensen, ook je eigen familieleden, anders niet verplichten hier te blijven werken,' zei Leen vriendelijk. 'Als je vader ermee stopt, is dat zijn keuze.'
'Misschien valt het mee en is Pamela een tijdelijke bevlie-

ging,' hoopte Froukje terwijl ze de thermoskan pakte en voor iedereen nog een beker koffie inschonk. 'Ik zou het tenminste vreselijk vinden als we vreemden aan moeten nemen voor de taken die wij als familie op ons genomen hebben.'

Noortje wisselde een veelbetekenende blik met Leen. Ze had in de familiekring nog niet verteld dat ze besloten had voorlopig te stoppen met werken en dit leek haar niet het juiste moment om daarmee op de proppen te komen. Ook voor haar zou een ander aangenomen moeten worden, dat was onvermijdelijk. Natuurlijk zou ze wel betrokken blijven bij het hotel en ook de maandelijkse vergaderingen bijwonen, maar aan haar dagelijkse aanwezigheid kwam voorlopig een einde. In ieder geval het eerste jaar, had ze zich voorgenomen. Ze wilde nog een maand of vier blijven werken, tot ze zeven maanden zwanger was. Zo heel lang kon ze dus niet meer wachten met haar mededeling. Ze moesten wel de tijd hebben om een vervangster voor haar te zoeken. Haar besluit zou ongetwijfeld de nodige tegenstand van Froukje oproepen, maar daar zou Noortje zich niets van aantrekken. Het was haar leven, zij maakte zelf uit wat ze daarmee deed.

'Zo, jullie hebben het nogal naar je zin hier,' klonk de joviale stem van Barend. 'Schenk voor mij ook maar in, Gerda.'

'Ja baas,' mompelde ze, onhoorbaar voor Barend.

Hij trok een stoel bij en wreef eerst met een zakdoek over de zitting voor hij plaatsnam.

De onmiskenbare invloed van Pamela, dacht Noortje bij zichzelf. Normaal gesproken maakte Barend zich nooit druk om dergelijke zaken. Sinds Pamela in zijn leven verschenen was, was dat veranderd. Zijn nonchalante kleding had plaatsgemaakt voor strakke maatpakken met bijpassende overhemden en stropdassen, hij droeg nu een bril met een gouden montuur en zijn warrige haardos was getransformeerd tot een strak kapsel. Het horloge om zijn linkerpols schreeuwde aan alle kanten dat het peperduur was. Het deed zijn dochters sterk denken aan de eerste maanden nadat ze de geldprijs hadden gewonnen. In de jaren daarna, zeker na het overlijden van Marga, was Barend langzaam maar zeker weer zijn oude zelf geworden, maar Pamela had ervoor gezorgd dat hij er opnieuw uitzag als een man van de wereld. Een geslaagde zakenman, iemand met geld op zijn bankrekening. Het was geen verandering ten goede, daar waren ze het allemaal, behalve Sjoerd, over eens.

'Het komt goed uit dat we allemaal bij elkaar zijn,' zei Barend, om zich heen kijkend naar de gezichten die naar hem toe gedraaid werden. 'Ik moet jullie iets vertellen. Pamela en ik gaan een maand naar Australië, naar haar dochter.'

Zijn mededeling sloeg in als een bom. Iedereen begon druk door elkaar te praten en vragen te stellen.

'Je kunt niet zomaar een maand weggaan,' zei Froukje met schrille stem.

'Waarom niet?' Over de rand van zijn bril keek Barend haar strak aan.

'Misschien ben je vergeten dat we een bedrijf runnen,' zei ze sarcastisch. 'De laatste tijd doe je weliswaar niet veel meer, maar je kunt ons niet zomaar in de steek laten. Anderen draaien voor jouw werkzaamheden op.'

'Ieder mens heeft recht op vakantie, dus ik ook.'

'Volgens mij heb jij al sinds de kerst vakantie,' gaf Froukje hatelijk terug. 'Je bent er bijna nooit.'

'Ik heb ontdekt dat er meer in het leven is dan werken alleen. We hebben keihard gewerkt om dit hotel op te zetten en het draait goed, nu kunnen we het wat rustiger aan doen. Je draaft door, Froukje.'

'Wat gaan jullie in Australië doen?' vroeg Noortje haastig in een poging de opkomende ruzie te bezweren.

'Pamela's dochter woont daar met haar man. Ze wil graag dat ik kennis met hen maak,' antwoordde Barend.

'Het is dus serieus tussen jullie?' begreep Noortje daaruit.

Er viel een diepe stilte na deze vraag. Iedereen keek afwachtend naar Barend, die zijn keel schraapte. 'Eh, ja,' gaf hij toe. 'Ik had niet gedacht dat het me nog zou overkomen, maar Pamela en ik... Nou ja, ze trekt bij me in. Het komt misschien als een schok voor jullie, maar...' Hij werd onderbroken door het geluid van brekend serviesgoed. Gerda, bezig met het verzamelen van de bekers, staarde geschrokken naar het dienblad dat op de grond was gevallen. De tegelvloer was bezaaid met stukken gebroken aardewerk.

'Sorry, sorry,' stamelde ze. Haar wangen waren vuurrood.

'Kan gebeuren, maak je niet druk om een paar bekers,' zei Anneke troostend. Handig veegde ze de grootste stukken bij elkaar terwijl Froukje naar binnen rende om stoffer en blik te halen.

'Het was stom van me,' mompelde Gerda. Met haar handen in haar schoot ging ze zitten, haar ogen neergeslagen.

'Zoals ik al zei,' vervolgde Barend nadat alles opgeruimd was, 'komt Pamela dus bij me wonen. Ik verwacht dat jullie haar een warm welkom in de familie geven. Het is voor haar niet makkelijk om als buitenstaander in het gezin te komen.'

'Maar ze heeft een paar miljoen redenen om toch door te zetten,' mompelde Anneke binnensmonds tegen Lieke.

'Zei je iets?' vroeg Barend strak.

'Je overvalt ons er nogal mee,' zei Anneke haastig. Ze hoopte dat hij haar niet verstaan had. 'Het gaat ineens allemaal zo snel.'

'Het leven is te kort om goede dingen uit te stellen. Enfin, jullie weten het nu. Denk aan wat ik gezegd heb.' Het klonk als een waarschuwing.

'Het valt voor ons anders ook niet mee,' kwam Lieke nu. 'Wij worden zomaar geconfronteerd met een vrouw die we amper kennen, maar die wel de plek van mama inneemt.'

'Stel je niet zo aan, wees blij dat pa weer wat geluk in zijn leven heeft,' zei Sjoerd.

'Dank je wel, zoon,' zei Barend. 'Ik hoop dat jullie er allemaal zo over kunnen denken. Dingen veranderen nu eenmaal, niemand weet dat beter dan wij. Je kunt je ertegen verzetten, maar daar maak je het jezelf alleen maar moeilijk mee. Mama is er niet meer, ik moet verder.'

'Wanneer gaan jullie weg?' vroeg Leen.

'Over een week of drie, vier. Ik neem aan dat ik mijn vakantie op mag nemen?' Het klonk sarcastisch.

'We hadden het er net over om eventueel iemand aan te nemen,' zei Leen rustig, zonder op de hatelijkheid in te gaan. 'Nu nemen wij jouw werk over, maar dat kan niet blijven duren. Wat vind je ervan?'

'Als dat nodig is, moet je dat vooral doen. Jij bent de manager,' antwoordde Barend.

'Makkelijk,' mopperde Froukje.

Barend stond op. 'Het is jammer als jullie het er niet mee eens zijn, maar ik vind het tijd om eens aan mezelf te denken. De rest van de dag ben ik er overigens niet, ik ga naar Pamela toe om haar te helpen met het uitzoeken en inpakken van haar spullen.'

'Alsof het iets nieuws is dat je er niet bent,' zei Froukje nog, maar hij liep weg en hoorde haar al niet meer.

'Papa is papa niet meer,' vertolkte Lieke de gedachte die bij haarzelf en haar zussen door het hoofd spookte. 'Die Pamela pakt hem helemaal in. Ik vind het niet normaal dat ze bij hem intrekt terwijl we haar eigenlijk helemaal niet kennen. Het is net of onze mening niet meer telt.'

'Pa is volwassen, hij heeft onze toestemming helemaal niet nodig,' merkte Sjoerd op.

'Dat ben ik met je eens, maar het had ook op een andere manier gekund,' meende Noortje. 'Dit voelt erg dubbel. Ik ben blij voor hem, maar ik kan me niet aan de indruk onttrekken dat het Pamela vooral om zijn geld te doen is. Ik hoop dat ik het mis heb, al vrees ik het ergste. Als ze hier is, wisselt ze amper een woord met ons, ze is alleen maar bezig met hem. Ik mag haar niet.'

'Gun haar het voordeel van de twijfel en neem de tijd om haar te leren kennen,' kwam Mark nu. Het was het eerste wat hij zei. Meestal zat hij stil bij de familiebijeenkomsten, hij praatte nooit zo veel. 'Misschien valt het mee.'

'Laten we het hopen,' zei Lieke uit de grond van haar hart. 'Maar ze zal nooit de plek van mama in kunnen nemen.' Plotseling sprongen de tranen in haar ogen. Zeker in de afgelopen periode had ze haar moeder enorm gemist. Met haar had ze kunnen praten over wat er allemaal in haar leven misging. Zij zou haar gesteund hebben, wist ze. Om haar tranen te verbergen sprong ze op. 'Tijd om aan het werk te gaan,' kondigde ze aan.

De rest van de familie volgde haar naar binnen.

'Leen, kan ik je even spreken?' vroeg Gerda nerveus zodra de anderen naar hun eigen afdelingen waren vertrokken.

'Natuurlijk. Kom even mee naar mijn kantoor.' Leen gaf Leontine achter de receptie een teken dat ze nog even moest blijven zitten en ging Gerda voor naar het kleine kantoortje

dat hij tot zijn beschikking had. 'Wat kan ik voor je doen?'
'Kan ik voorlopig een kamer in het hotel krijgen?' viel ze met
de deur in huis. 'We zitten niet volgeboekt momenteel. Het
gaat om een paar weken.'
Hij knikte peinzend, alsof hij al zoiets verwacht had. 'Tot
Barend naar Australië vertrekt zeker?' begreep hij.
Gerda beet op haar onderlip. 'Ik heb heel weinig zin om met
Pamela in één huis te wonen. De vorige keer dat ze hier was,
logeerde ze ook bij Barend, dus ik weet waar ik over praat.
Ze behandelt me als oud vuil. In haar ogen ben ik geen zelf-
standige huurster, maar de voetveeg die het huishouden re-
gelt en haar moet bedienen.'
'Wat zegt Barend daarvan?'
Gerda snoof. 'Die ziet het niet eens. Als hij erbij is, doet ze
trouwens poeslief.'
'Je begrijpt dat het slechts tijdelijk is, hè?' waarschuwde
Leen haar. 'Voor de zomervakantie zitten we helemaal vol.'
Ze knikte. 'Met de maand erbij dat hij in Australië zit, heb ik
zo'n twee maanden de tijd om andere woonruimte te zoeken.
Ik hoop iets gevonden te hebben voordat ze terugkomen.'
'Ik begrijp het. Natuurlijk kun je hier voorlopig terecht en
als het je niet lukt woonruimte te vinden voor ze terug zijn,
kun je altijd bij mij en Noortje logeren,' bood Leen aan.
Gerda glimlachte voorzichtig. 'Wat lief van je.'
'Ik weet dat het moeilijk is voor je.' Met medelijden in zijn
blik keek hij haar aan.
Snel veegde Gerda over haar ogen. 'Valt het zo op?' vroeg ze
onzeker.
'Niet voor iedereen, maar ik heb mijn ogen niet in mijn zak
zitten. Dit vak vereist mensenkennis, vergeet dat niet. Je
had het graag anders gezien, hè?'
Weer knikte ze. 'Toen ik bij hem in huis ging wonen, hoopte
ik... Nou ja, je weet wel wat ik bedoel. Ik had hem graag het
verlies van Marga enigszins willen doen vergeten.'
'Ik denk dat iedereen in de familie daarop hoopte. Jij was
ongetwijfeld warmer welkom geheten dan Pamela,' zei Leen
met een scheef lachje. 'In ieder geval kun je voorlopig een
kamer voor jezelf reserveren.'
'Dank je wel. Ik heb trouwens nog iets. Je zei dat je iemand

aan wilt nemen om de taken van Barend over te nemen. Mijn zoon Paul zit sinds kort zonder baan vanwege een reorganisatie in het bedrijf waar hij werkte. Zou je eens met hem willen praten om te kijken of hij geschikt is?'

'Laat hem maar komen, praten kan nooit kwaad,' antwoordde Leen. 'Verwacht alleen niet dat ik hem aanneem omdat hij jouw zoon is, hij moet wel geschikt zijn. Wat voor werk doet hij?'

'Iets met computers,' antwoordde Gerda vaag. 'Hij heeft een opleiding marketing en communicatie gedaan.'

'Geef me zijn nummer maar, dan bel ik hem voor een afspraak.'

Haastig krabbelde ze zijn telefoonnummer op een papiertje. 'Dank je, Leen. Voor alles,' zei ze ernstig.

'Dat zit wel goed.'

'Je vertelt toch niet... Ik bedoel...'

'Maak je geen zorgen, ik vertel nooit iets door wat vertrouwelijk is. Zelfs niet aan Noortje,' viel hij haar in de rede.

Hij bleef nog lange tijd zitten nadat Gerda zijn kantoor verlaten had, spelend met het papiertje waarop Pauls telefoonnummer stond. Arme Gerda. Haar gevoelens voor Barend gingen veel verder dan vriendschap, dat had hij vaker gemerkt. Het moest een hard gelag voor haar zijn dat Pamela kwam, zag en overwon. Juist Pamela, een vrouw die niemand echt mocht en die op het eerste gezicht ook totaal niet bij Barend leek te passen. Pamela, die zo compleet anders was dan Marga. Maar misschien was dat juist goed. Hij kon niet in Barends hart kijken, maar Leen kon zich voorstellen dat zijn schoonvader verliefd was geworden op Pamela vanwege het feit dat ze zo anders was dan de vrouw met wie hij zo lang getrouwd was geweest. Zuchtend stond hij op. In ieder geval zorgde Barends verliefdheid voor veel veranderingen in het hotel.

HOOFDSTUK 10

Na een uitgebreid gesprek besloot Leen Paul aan te trekken als nieuwe kracht voor het hotel. De man maakte een
goede indruk op hem en Paul aannemen scheelde heel veel
tijd aan sollicitatiegesprekken. Het feit dat hij de zoon van
Gerda was speelde voor Leen ook mee, al had hij wel besloten Paul eerst een contract voor een halfjaar aan te bieden.
Mocht hij niet voldoen, dan kon hij hem zonder problemen
over zes maanden laten gaan. Dat laatste verwachtte Leen
overigens niet. Met zijn uitgebreide computerkennis was
Paul een aanwinst voor het hotel. Hij kon Sjoerd helpen met
de personeelsadministratie en de website en bovendien alle
boekingen doen. Werken achter de receptie had hij nog nooit
gedaan, maar dat wilde hij graag leren, had hij eerlijk gezegd. Als computerprogrammeur had Paul zijn werkzame
leven grotendeels achter een bureau doorgebracht en de afwisseling van het hotelleven trok hem enorm aan.
Twee weken voordat Barend naar Australië vertrok, begon
Paul in zijn nieuwe functie. Leen had het expres zo geregeld,
zodat Barend hem nog in kon werken, maar in de praktijk
kwam hij daarin bedrogen uit. Barend leek zich ineens helemaal niets meer aan te trekken van het hotel. Pamela was bij
hem ingetrokken en de kinderen Nieuwkerk zagen hun vader nog maar sporadisch. Gelukkig bleek Paul snel te leren
en kon hij al gauw zelfstandig het werk achter de receptie
verrichten, met als het nodig was de hulp van zijn moeder.
'Hij doet het goed, hè?' zei Froukje na een paar dagen.
Leen knikte. 'Tot nu toe heb ik nog geen spijt dat ik hem
aangenomen heb. Hij leert snel en is niet te beroerd om aan
te pakken. We hebben weleens anders meegemaakt.'
'Eerlijk gezegd was ik daar wel een beetje bang voor. Hij is
de zoon van Gerda, en in zo'n geval is het altijd moeilijk om
iemand te vertellen dat hij niet voldoet.'
'Dat had ik van tevoren al met ze besproken,' zei Leen.
'Het ligt toch gecompliceerder dan bij een vreemde,' hield
Froukje vol. 'Ik had het wel prettiger gevonden als je eerst
met ons had overlegd.'

'Het aannemen van personeel is mijn taak, ik heb daar nog nooit overleg over hoeven plegen,' zei Leen kort.

'Dan betreft het vreemden. Dit ruikt een beetje naar vriendjespolitiek.'

'O?' Zijn wenkbrauwen schoten omhoog. 'Je bedoelt dat dit hetzelfde is als de manier waarop Mark in het hotel is komen werken?'

Froukje had de betamelijkheid om te blozen bij deze opmerking. Mark was met haar mee teruggekomen uit Engeland na het overlijden van Marga en als vanzelfsprekend was hij gebleven. Een vacature voor een kok was er op dat moment niet, toch werd hij ingelijfd in de keuken. In eerste instantie als extra hulp, later als vaste kok toen die plaats vrijkwam.

'Dat ligt anders,' zei ze toch.

'Dat klopt. Paul heeft namelijk officieel gesolliciteerd op een vrijstaande vacature. Wij hadden hem nodig in plaats van andersom,' reageerde Leen meteen. 'Breek jij je hoofd overigens maar niet over de onderlinge verhoudingen. Paul weet heel goed dat hij kan vertrekken als hij niet aan mijn eisen voldoet, ook al hoort zijn moeder min of meer bij de familie. Het hoort namelijk tot mijn werkzaamheden om daar duidelijkheid over te verschaffen.'

'Met andere woorden, ik moet me er niet mee bemoeien,' begreep Froukje met een grimas.

'Zo had ik het niet willen brengen, maar daar komt het wel op neer, ja.' Leen beende met grote passen de keuken uit, waar ze dit gesprek hadden gevoerd.

'Dat was nogal bot,' zei Froukje verongelijkt tegen Mark. 'Waarom zei jij niets?'

'Omdat Leen gelijk had,' was zijn kalme antwoord. 'Jij hebt in principe niets met het personeelsbeleid te maken, ook al ben je mede-eigenaar. Als je ziet dat er dingen fout lopen of wanneer de cijfers tegenvallen kun je er iets van zeggen, maar verder dan dat gaat je bevoegdheid niet.'

'Ik heb het hotel opgezet.'

'Daar scherm je vaker mee de laatste tijd, maar dat staat er helemaal los van. Ieder heeft zijn eigen taak.'

'Die woorden heb je vast niet van jezelf.' Froukje keek hem

beschuldigend aan. 'Die opmerking heb ik namelijk meer gehoord de afgelopen weken.'

'Doe daar dan ook iets mee,' adviseerde Mark haar. 'Het wordt niet voor niets tegen je gezegd. Eerlijk gezegd ben je best wel bemoeizuchtig wanneer het op het hotel aankomt.'

'Ik probeer de boel in goede banen te leiden.'

'Dat is helemaal niet nodig. Als iemand hulp nodig heeft op zijn eigen afdeling, wordt daar vanzelf wel om gevraagd. Ik begrijp best dat je broer en zussen af en toe een beetje gek van je worden. Je moet het tenminste niet wagen om mij in mijn keuken te komen vertellen wat ik wel of niet moet doen.'

'Wat zou je dan doen?' wilde Froukje weten.

'Dan zet ik je er hoogstpersoonlijk uit,' antwoordde hij. Het klonk half lachend, half ernstig.

'Je beschouwt deze keuken dus wel als je eigen domein,' begroop zo. 'Botckent dat dat je plannen voor een eigen restaurant van de baan zijn?' Gespannen wachtte ze op zijn antwoord. Ze waren nooit meer teruggekomen op hun eerdere gesprek over dit onderwerp, maar ze dacht er heel vaak aan. De angst was haar behoorlijk om het hart geslagen na Marks mededeling.

'Zolang ik hier werk, is deze keuken mijn plek en heeft niemand anders het voor het zeggen,' antwoordde hij echter neutraal.

'Dat vroeg ik niet.'

Hij tikte ongeduldig met zijn vingers op het aanrechtblad. 'Wat wil je nu eigenlijk horen? Ik ben tweeëndertig, ik kan echt niet met zekerheid zeggen of ik de rest van mijn leven in het hotel blijf werken. Evenmin weet ik honderd procent zeker of ik een eigen restaurant wil hebben. Daar denk ik nog over na. De kans is in ieder geval niet denkbeeldig dat ik ooit iets anders ga doen. Ik moet nog minstens vijfendertig jaar werken, Froukje. Dat is meer jaren dan ik tot nu toe op aarde rondloop. Verwacht je nu werkelijk van me dat ik me voor al die tijd vastleg? Dat kun je niet serieus menen.'

'Je bent kok, ik neem aan dat je dat wilt blijven. Dan maakt het op zich weinig uit in welke keuken je die werkzaamheden uitvoert,' waagde Froukje te zeggen.

'Dat is niet helemaal waar. Je weet dat ik meer exclusievere gerechten wil maken en meer wil experimenteren in de keuken, daar hebben we het al over gehad,' zei Mark.

'We zouden eventueel een aparte menukaart kunnen maken met speciale gerechten, die gasten dan tegen bijbetaling kunnen bestellen,' bedacht Froukje.

Mark schudde zijn hoofd. 'Lief bedacht, maar dat gaat te ver. Dit hotel is een bedrijf en een bedrijf moet winst maken om te kunnen blijven bestaan. Als je het te duur maakt, blijven de gasten weg, en zonder goede winstmarge kun je er beter niet aan beginnen. Dan wordt het een hobby in plaats van serieus werk.'

'Als die hobby ervoor zorgt dat je hier blijft werken, heb ik daar niets op tegen.'

Hij zuchtte diep. 'Houd daar nu eens over op, wil je? Je doet net alsof jouw leven al helemaal is uitgestippeld voor de komende vijftig jaar.'

'Het is mijn hotel, ik ben niet van plan hier ooit weg te gaan,' reageerde Froukje fel.

'Het is fijn dat je dat zo zeker weet, maar voor mij geldt dat nu eenmaal niet.'

'Ik begrijp niet dat je daar zo luchtig over kunt praten. Wat moeten wij nou als jij echt weg wilt?'

'Dan nemen jullie een nieuwe kok aan en draait het hotel gewoon verder,' was zijn nuchtere antwoord.

'Ha, ha, grappig hoor. Je weet best wat ik bedoel. Wij. Jij en ik.'

'Lieve schat, zullen we het daar eens over gaan hebben als het aan de orde is?' verzocht hij. 'Voorlopig is er nog geen sprake van iets concreets. We komen er echt wel uit als het zover is. Ik kan je niet beloven dat ik nooit iets zal doen dat tegen jouw zin in gaat, ik kan je wel beloven altijd alles eerst met jou te bespreken en samen naar oplossingen te zoeken als dat nodig mocht zijn. Kom hier, we hebben nog vijf minuten voor ik weer aan de slag moet.' Hij trok haar naar zich toe en gaf haar snel een zoen.

Niet helemaal tevreden met zijn woorden leunde Froukje tegen hem aan. Hij had haar maar half gerustgesteld.

Pamela wilde niet dat de familie haar en Barend uitzwaaide op Schiphol. 'Ik ben niet wild van dergelijke vertoningen,' zei ze. 'We gaan tenslotte alleen maar op vakantie. We nemen gewoon een taxi, dan hoeft niemand ons weg te brengen.'
'Wel een beetje ongezellig,' bracht hij voorzichtig te berde.
'We vliegen overdag. Als een van je kinderen ons moet brengen is er meteen weer heibel in het hotel omdat er zogenaamd niemand gemist kan worden,' zei Pamela echter. 'Laten we onszelf dat besparen.'
Barend vertelde maar niet dat Marga en hij, bij de zeldzame keren dat ze samen op vakantie waren geweest, het altijd erg leuk hadden gevonden om door hun kinderen naar het vliegveld te worden gebracht. Als het even kon was iedereen er en maakten ze er nog een paar gezellige uurtjes van op de luchthaven, als een voorbode van de vakantie. Vervolgens werden ze dan uitgezwaaid alsof ze maandenlang van huis gingen in plaats van slechts onkele weken. Hij zou dat missen deze keer.
Maar alles was nu anders, ook zijn gezelschap. Reizen met Pamela zou ongetwijfeld een heel andere ervaring zijn dan op vakantie gaan met Marga. De vliegreis zelf verschilde ook enorm met wat hij gewend was. Vroegere vakanties in het buitenland hadden ze doorgebracht in Spanje, Italië of Zwitserland, op slechts een paar uur vliegen afstand. Nu keek hij tegen een vliegreis van vierentwintig uur aan, met een tussenstop in Kuala Lumpur. Eigenlijk zag hij er een beetje tegen op, hoe opgewonden hij ook was bij het vooruitzicht de wereld te gaan verkennen. Het ging ineens zo snel allemaal. Een halfjaar geleden kende hij Pamela nog niet eens en nu maakte ze bijna zijn hele leven uit. Hij zou hard gelachen hebben als iemand hem dit had voorspeld. Hoezeer Barend ook van dit nieuwe geluk genoot, hij voelde zich er ook weleens onbehaaglijk onder. Zijn oude leven stond ineens zo ver van hem af. Het hotel, dat jarenlang zeer belangrijk voor hem was geweest, was nu slechts een gebouw waar zijn hart niet meer echt bij betrokken was. Een vreemde gewaarwording, waar hij zelf verbaasd over was.
Vergeleken met Pamela verbleekte alles wat ooit zijn leven uit had gemaakt. Zijn werk, zijn huis en zelfs zijn gezin. Na-

tuurlijk hield hij nog net zoveel van zijn kinderen als eerst, maar de band werd losser. Minder verstikkend, noemde Pamela het.

'Het is niet normaal zoals jullie aan elkaar hangen,' had ze pas nog gezegd. 'Volwassen kinderen moeten hun eigen leven kunnen leiden. Jullie klitten gewoonweg en dat is niet goed voor hen, maar ook niet voor jou. Het is toch te belachelijk voor woorden dat jij ruzie krijgt omdat je niet op tijd op je werk op komt draven? Een beetje afstand tussen jullie, letterlijk en figuurlijk, zou helemaal niet verkeerd zijn.'

Met ieder ander die dit gezegd zou hebben, zou Barend ruzie gekregen hebben. Nu het Pamela betrof ging hij echter met haar denkbeelden mee. Pamela was alles voor hem. Dit gevoel was zo plotseling uit de lucht komen vallen dat het hem volkomen beheerste. Hij aanbad de grond waarop ze liep. Dankzij Pamela voelde hij zich weer jong. Hij telde weer mee. De laatste jaren had hij zich, ondanks zijn gezin, afgedankt en versleten gevoeld, maar dat was verleden tijd. Tegenwoordig voelde hij de energie weer door zijn aderen stromen en genoot hij van iedere dag. Hij vroeg zich regelmatig dankbaar af waar hij dit aan verdiend had. Dat zijn relatie met Pamela ten koste ging van de band met zijn kinderen, had hij amper in de gaten. Die lossere band was trouwens niet zijn schuld. Zijn dochters waren egoïstisch bezig, dat had Pamela zelf gezegd. Het was voor hen natuurlijk niet makkelijk om een andere vrouw aan zijn zijde te zien, maar daar moesten ze zich maar overheen zetten.

Omdat Pamela een totale uittocht op Schiphol niet wilde, ging Barend een dag voor hun reis naar het hotel om zijn kinderen gedag te zeggen. Hij trof Sjoerd en Anneke samen in de souvenirwinkel, gebogen over een bestellijst.

'Zal ik wat souvenirs uit Australië meenemen voor de winkel?' vroeg hij luchtig.

Ze keken tegelijkertijd op. 'Valt dat niet onder het kopje misleiding, souvenirs uit Australië in een Hollands hotel?' grijnsde Sjoerd terwijl hij zijn vader een klap op zijn schouders gaf. 'Het gaat er nu dus eindelijk van komen, begrijp ik. We vroegen ons al af wanneer je vertrok.'

'Eén telefoontje en ik had het verteld,' zei Barend licht ver-wijtend.

'Als je gewoon je werk had gedaan, hadden we het kunnen vragen,' gaf Anneke meteen snibbig terug. 'We zien je nooit meer.'

'Ik was me er niet van bewust dat ik verantwoording af moet leggen voor wat ik doe.' Er verscheen een afwijzende trek op Barends gezicht.

'Zo bedoelt Anneke het niet,' zei Sjoerd haastig. 'Al missen we je hier wel.'

'Ik heb begrepen dat die Paul het goed doet,' merkte Barend op.

'Dat is anders. Wat werk betreft is hij een waardige ver-vanger, ja, maar daarbij houdt voor ons de vergelijking op.' Sjoerd lachte.

'Jullie zijn volwassen, je hebt mij niet meer iedere dag om je heen nodig.'

Anneke proefde daar duidelijk de mening van Pamela in, maar ze hield wijselijk haar mond. Ze had geen zin in een ruzie met haar echtgenoot, want Sjoerd nam het steevast voor zijn vader op waar het Pamela betrof. 'Wil je koffie?' vroeg ze in plaats daarvan neutraal.

'Nee, dank je. Ik kom alleen gedag zeggen,' antwoordde Ba-rend. Ondanks haar hatelijke opmerking van daarnet kuste hij haar hartelijk op beide wangen.

'Geniet ervan, pa,' zei Sjoerd nog voor zijn vader de winkel uit liep.

'Dat ben ik zeker van plan,' lachte Barend.

Zijn volgende stop was de kapsalon. Omdat Froukje met een klant bezig was, was het afscheid kort en weinigzeggend. Ook Noortje had het druk en Lieke was voor een bespreking buiten het hotel, vertelde Daphne hem, dus hij was sneller klaar dan hij had verwacht. Samen met Leen dronk hij nog iets in de kantine voor het personeel, zijn gedachten dwaal-den echter weg bij het verhaal dat zijn schoonzoon hield over het hotel.

Het deed hem niet veel meer, realiseerde hij zich. Het hotel, het levenswerk waar hij zo trots op was geweest en dat de naam van zijn vrouw droeg, stelde niets voor vergeleken bij wat er nu allemaal in zijn leven gebeurde. Hij verbaasde zich daar niet eens over, zo werd hij in beslag genomen door al het nieuwe.

Bij het verlaten van het gebouw draaide hij zich om en keek hij naar de rode letters boven de ingang. *Hotel Margaretha.* Onwillekeurig kromp zijn hart toch even samen. Als Marga er nog was geweest, zou zijn leven er heel anders uitzien, wist hij. Dan hadden ze nog steeds met evenveel liefde en passie als in het begin de scepter gezwaaid over dit gebouw en de gasten. Samen. Zonder zijn Marga had het hotel echter zijn glans verloren. In eerste instantie had hij zich juist op zijn werk gestort om zo goed mogelijk te overleven, maar de ziel was eruit. Barend had er veel, zo niet alles, voor over om de tijd terug te draaien. Maar dat was onmogelijk, dus hij moest zich richten op de toekomst. In die toekomst nam Pamela een prominente plaats in.

Toch weer glimlachend bij die gedachte stapte hij in zijn auto. Af en toe lag zijn binnenste compleet overhoop en wist hij zelf niet wat hij voelde of waar hij naar verlangde, maar op dat moment wist hij zeker dat hij bij haar wilde zijn. Daar kon het hele hotel, inclusief zijn gezin, niet tegen op. Pamela was fantastisch. Ze was knap, uiterst elegant en intelligent, en bovendien zag ze er altijd uit om door een ringetje te halen. Hij had haar bijvoorbeeld nog nooit op pantoffels zien lopen, haar voeten werden steevast gesierd door hooggehakte schoenen. De kledingstukken die ze droeg waren van een voortreffelijke kwaliteit en ze wist er feilloos de juiste accessoires bij te zoeken. Haar nog steeds gladde gezicht werd dagelijks licht opgemaakt en er hing altijd een zweem van haar parfum om haar heen. Parfum waar hij van was gaan houden.

Het was onvoorstelbaar dat deze perfecte vrouw zijn partner was, dacht Barend trots. De gedachte aan Marga vervaagde alweer. Als arbeider, wat hij vroeger altijd was geweest, had hij nooit een dergelijke vrouw kunnen behagen, daar was hij zich goed van bewust. In die periode had ze hem waarschijnlijk geen tweede blik waardig gegund. Maar hij was geen arbeider meer. Hij was een man met geld, met status. Een man die op het punt stond de wereld te ontdekken. De spruitjeslucht had hij voorgoed van zich afgeschud. Tegenwoordig rook hij naar kaviaar.

Plotseling hevig verlangend naar Pamela en alles wat zij vertegenwoordigde, scheurde hij de oprit af. Hij had niet eens in de gaten dat Lieke net arriveerde. Ze toeterde en stak haar hand op, maar hij reed door zonder op te kijken.

'Ik zag pa wegrijden,' meldde ze even later bij Leen. 'Was er iets bijzonders?'

'Hij kwam afscheid nemen voor zijn vakantie begint. Ze vliegen morgenmiddag,' vertelde hij.

Lieke trok haar wenkbrauwen op. 'Ik was ervan uitgegaan dat we ze weg zouden brengen. Dat deden we altijd als mama en papa op vakantie gingen.' Ze schoot in de lach bij die dierbare herinnering. 'De mensen op Schiphol zullen weleens gedacht hebben dat we niet goed wijs waren. We maakten er altijd een hele happening van, zelfs als ze maar een of twee weken weggingen. Mama vond dat heerlijk. Ze riep altijd dat we niet zo luidruchtig moesten zijn, maar zelf genoot ze er het meest van.'

'Pamela is je moeder niet,' merkte Leen op.

'Nee, dat is helaas maar al te waar.' Lieke zuchtte diep. 'Er is weinig meer over van die tijd. Mama is dood en papa verliest zich volkomen in die Pamela. We raken hem kwijt. Waarom waarderen we de goede tijden niet op het moment dat die zich afspelen? Pas achteraf realiseer je je hoe kostbaar het was. Die zorgeloze tijd komt nooit meer terug.'

'Zo zorgeloos is het anders nooit geweest,' zei Leen realistisch. 'Je kijkt terug door een roze bril, maar er waren altijd problemen, op diverse vlakken. Als je terugkijkt, idealiseer je die tijd.'

'Ik kan me anders geen enkele periode herinneren waarin alles zo somber was als nu.'

Hij keek haar onderzoekend aan. 'Wat is er precies met je aan de hand? Je tobt over veel meer dan alleen je vader, hè?'

Ze glimlachte moeizaam. 'Haal je niets in je hoofd. Kom, ik ga weer eens aan het werk. Ik heb net een mooie opdracht binnengesleept.' Lieke knikte naar Leen en liep door naar haar eigen kantoortje. Haar hoofd bonsde en er verschenen kleine zweetdruppeltjes op haar voorhoofd. Hij moest eens weten, dacht ze bij zichzelf. Was er momenteel eigenlijk nog wel iets waar ze niet over piekerde? In plaats van haar kantoor binnen te lopen, waar ze Daphne wist, glipte ze snel het damestoilet in. Daar leunde ze vermoeid tegen de koele tegelwand. Haar moeder was dood, haar kinderwens kon niet in vervulling gaan en zowel haar vader als haar man ontglipten haar zonder dat ze bij machte was daar iets aan te veranderen. Haar relatie met David verliep steeds moeizamer. Hij kon de wetenschap dat hij nooit vader zou worden niet verkroppen en dronk steeds meer in een poging dat verdriet even te kunnen vergeten.

Bij niemand kon Lieke met deze problemen terecht. Normaal gesproken was Noortje daar de aangewezen persoon voor, maar Lieke wilde haar tijdens haar zwangerschap niet belasten met haar eigen verdriet vanwege haar kinderloosheid. Dat rijmde niet met elkaar. Bovendien was ze simpelweg stikjaloers op Noortje, dat durfde ze aan zichzelf best toe te geven, al hield ze die gevoelens voor anderen verborgen. Noortje had alles waar zij, Lieke, naar verlangde. Een goed huwelijk en een zwangerschap die zonder problemen tot stand was gekomen. Het was moeilijk om daarmee om te gaan, vooral omdat ze haar tweelingzus niet kon ontlopen. Ze werd dagelijks met haar geconfronteerd, dus had Lieke zichzelf aangeleerd om een vrolijk gezicht te trekken en haar ware gevoelens voor zichzelf te houden.

Soms werd dat haar echter even te veel, zoals nu. Leens oprechte belangstelling voor haar welzijn had bijna de muur om haar hart afgebroken en het had weinig gescheeld of ze had zich huilend in zijn armen gestort.

Lieke haalde een paar keer diep adem en drong de tranen die achter haar oogleden brandden terug. Het koude water waarmee ze haar gezicht bette en dat ze over haar polsen liet stromen, deed de rest. Het was even penibel geweest, maar ze was er weer. Klaar voor de strijd waaruit haar leven tegenwoordig leek te bestaan.

HOOFDSTUK 11

'Ik vind het enorm spannend.' Noortje keek om zich heen in de wachtkamer van haar verloskundige. Ze was nu twintig weken zwanger en kreeg haar termijnecho, waarbij ze, als het goed was, ook het geslacht van de baby te horen zouden krijgen. Een voorkeur voor een jongen of een meisje had ze niet, toch was ze verschrikkelijk nieuwsgierig. Ze hadden het nu steeds over 'het' of 'de baby', als ze eenmaal wist welk geslacht het kindje had, werd het waarschijnlijk wat concreter. Dan kon ze tenminste ook oefenen met de namen die ze in gedachten had.

Het was druk in de wachtkamer. Vrouwen in diverse stadia van hun zwangerschap wachtten geduldig op hun beurt, de meesten met mannen naast zich die zich niet op hun gemak leken te voelen. Enkele kleine kinderen, toekomstige broertjes en zusjes, renden rond of vermaakten zich in de speciaal daarvoor ingerichte speelhoek.

Noortje stootte Leen aan. 'Zou ik ook zo dik worden?' vroeg ze fluisterend met een blik op een vrouw die net de wachtruimte in kwam lopen. Haar enorme buik stak prominent naar voren en het was niet moeilijk te raden dat haar zwangerschap er bijna op zat.

'Hè, wat?' Leen schrok op bij de por in zijn zij. 'Wat zei je?'

'Waar zit je met je gedachten?' antwoordde Noortje met een tegenvraag.

'Sorry, ik was even heel ver weg.'

'Je hebt je aandacht in ieder geval niet bij mij,' zei Noortje kribbig. 'Ik heb al twee keer iets tegen je gezegd. Op deze manier kun je net zo goed niet meegaan naar de controles. Interesseert mijn zwangerschap je eigenlijk nog wel?'

'Doe niet zo raar.' Leen pakte haar hand vast en kneep er even in. Inmiddels was hij wel gewend aan dit soort kleine uitvallen van zijn vrouw. Omdat dit niets voor haar was, schoof hij het gemakshalve maar op haar hormonen en ging hij ervan uit dat ze na de bevalling tot het verleden zouden behoren. Hij liet zich in ieder geval nooit verleiden tot een ruzie. 'Herhaal je vraag nog eens,' verzocht hij.

Ze schudde haar hoofd. 'Laat maar, het was niet belangrijk. Vertel me liever waar jij mee bezig bent.'
'Met het hotel natuurlijk.' Er verscheen een sombere blik in zijn ogen.
'Het loopt allemaal toch goed?'
'Oppervlakkig gezien wel, maar er broeit iets. Het lijkt wel of niemand meer iets van elkaar kan hebben, om de haverklap is er wel ergens ruzie om. Je vader wist dat altijd goed te bezweren, maar nu hij er niet is, lijkt er wel een rem weggevallen te zijn. Het is trouwens vreemd zonder hem. Paul doet zijn werk goed, maar hij is een ondergeschikte, al vind ik dat woord een nare bijklank hebben. Met je vader zat ik op één lijn, als er ergens problemen mee waren, kon ik dat met hem bespreken. Met Paul kan dat niet.'
'Je hebt Froukje nog, zij wil maar al te graag alles bespreken met je,' merkte Noortje hatelijk op.
'Kijk, dat bedoel ik nou, dit soort opmerkingen over elkaar.' Leen fronste zijn wenkbrauwen. 'Vooral Lieke en Froukje hebben daar een handje van, ik hoop niet dat jij eraan mee gaat doen. Het komt de sfeer niet ten goede.'
'Ik zeg niets wat niet algemeen bekend is. Zeker nu pa weg is, verbeeldt Froukje zich dat zij de baas is,' meende Noortje. 'Dat is niet hatelijk bedoeld, dat is gewoon de waarheid. Zij is altijd al de fanatiekste geweest als het om het hotel gaat. En Lieke...' Ze stokte en beet op haar onderlip. Lieke had haar de belofte afgedwongen om niemand te vertellen wat er met haar aan de hand was en daar had ze zich aan gehouden. Zelfs Leen wist dus nergens van.
'Lieke piekert ergens over, dat is wel duidelijk,' vulde Leen haar zin aan. 'Ze denkt dat het niet opvalt, maar ik heb mijn ogen niet in mijn zak. Kun jij niet eens met haar praten om erachter te komen wat er aan de hand is?'
Gelukkig voor Noortje werd op dat moment haar naam afgeroepen en hoefde ze geen antwoord te geven op deze vraag. Nerveus liep ze de spreekkamer van de verloskundige in. Nu het grote moment naderde, werd het nog spannender. Het ene moment hoopte ze heel erg op de mededeling dat ze een zoontje zouden krijgen, het andere moment helde ze over naar de gedachte dat een meisje nog leuker was. Ze begreep

niet dat er vrouwen waren die er bewust voor kozen om het een verrassing te laten zijn, want zij klapte nu al bijna uit elkaar van spanning en nieuwsgierigheid. Zo rustig, nuchter en relativerend als ze normaal gesproken was, zo emotioneel gedroeg ze zich sinds ze zwanger was.

Na de gebruikelijke vragen die bij iedere controle hoorden en het standaardonderzoek, werd haar dan eindelijk verzocht plaats te nemen op de behandeltafel. Langzaam gleed de verloskundige met het daarvoor bestemde apparaatje over Noortjes buik terwijl ze aandachtig de beelden bekeek die op het scherm verschenen.

'Wat is het?' Noortje kon haar ongeduld niet langer bedwingen.

De verloskundige lachte. 'De meest gestelde vraag op deze tafel. Hebben jullie een voorkeur?'

'Ja, voor een gezond kind,' antwoordde Leen prompt. 'Maar het geslacht willen we ook graag weten.'

'Goed dan.' Nogmaals keek ze naar het scherm. 'Het is een meisje.'

'Een meisje? Echt waar?' Noortje kneep Leens hand haast fijn. 'Weet je dat zeker?'

'Heel zeker. Vroeger ging het nog weleens mis, maar tegenwoordig is de apparatuur zo geavanceerd dat vergissen uitgesloten is,' verzekerde de verloskundige hen.

Een meisje, een dochter. Als in een droom kleedde Noortje zich weer aan. Even later stonden ze elkaar buiten blij en lachend aan te kijken. 'Een dochter!' Noortjes stem juichte. 'Wat ontzettend leuk. Of had jij liever een zoon willen hebben?' vroeg ze ineens angstig.

'Natuurlijk niet. Het is allebei goed,' antwoordde Leen.

'Maar een meisje... Ik weet niet hoe ik gereageerd zou hebben als het een jongetje was geweest, maar eigenlijk vind ik dit wel heel erg leuk.'

Leen schoot hardop in de lach. 'In het andere geval had je hier nu staan juichen omdat het een jongen was,' wist hij wel zeker. 'Wat maakt het ook uit? Het is ons kind, daar gaat het om. Dat moet wel een leuk kind worden, ongeacht het geslacht.' Hij opende het portier van de auto en hielp haar instappen. 'Houden we deze informatie geheim?' vroeg hij nadat hij zelf had plaatsgenomen achter het stuur.

Noortje keek hem aan alsof hij ineens veranderd was in een monster. 'Natuurlijk niet. Je denkt toch niet dat ik dit nog vijf maanden voor me kan houden?'

Weer lachte hij, zijn mondhoeken deden er inmiddels pijn van. Leen had het gevoel of het geluk van zijn gezicht af te lezen was. Hoewel miljoenen mensen dit al voor hem hadden meegemaakt, voelde hij zich uniek in zijn positie als aanstaande vader. Dit was zo bijzonder.

'Als het verkeer een beetje meezit, treffen we iedereen nog in de tuin voor onze wekelijkse gezamenlijke koffiepauze,' zei Noortje met een blik op haar horloge. 'Mooi, dan kunnen we het meteen aan iedereen vertellen.'

Sjoerd, Anneke, Froukje, Mark en Lieke zaten inderdaad nog op hun vaste plekje achter het zwembad. Het was Froukje die Noortje en Leen aan zag komen. 'Daar zijn onze aanstaande ouders,' riep ze. 'En? Alles goed?'

'Kan niet beter.' Noortje ging zitten en keek stralend de kring rond. Ze kon haar nieuwtje onmogelijk nog een minuut langer voor zich houden. 'Het is een meisje, we krijgen een dochter!'

In de wirwar van stemmen en felicitaties die na deze mededeling opklonken, bleef Lieke stilletjes zitten. Noortje en Leen kregen een meisje, precies wat zij zo graag had gewild. Natuurlijk zou ze ook graag een zoon willen krijgen, maar als ze vroeger droomde over haar toekomstige baby, had ze altijd een meisje voor ogen gehad. Hoewel ze dat nooit hardop zou zeggen, wilde ze diep in haar hart het allerliefst een dochtertje. Een klein meisje met de ogen van David, donkere krullen en roze strikken in het haar. En nu kreeg Noortje wat zij zo begeerde. Alles was haar al afgenomen en zelfs dit werd haar dus niet bespaard. Als Noortje een zoon zou krijgen, had ze zich er makkelijker bij neer kunnen leggen, maar nu betrok ze het meer op zichzelf. Lieke had de grootste moeite om zichzelf in de hand te houden. Haar hart schreeuwde het uit van ellende, haar mond bleef echter stil. In het geroezemoes viel het niet eens op dat ze niets zei en haar tweelingzus zelfs niet feliciteerde.

'Weer een meisje in de familie dus,' mijmerde Anneke. 'De

jongens blijven zo wel ver in de minderheid. Damian is straks de enige knul tussen drie meiden.'

'Arme jongen,' zei Sjoerd gevoelvol. 'Ik weet precies hoe dat voelt, ik heb nu al medelijden met hem. Dan moeten we maar zorgen voor nieuwe aanwas, mensen. Hoe meer kinderen erbij komen, hoe groter de kans op versterking voor Damian.'

'Nou, wie weet.' Anneke lachte geheimzinnig. 'Het is nog niet zeker, maar ik heb het flauwe vermoeden dat ik ook weer zwanger ben.' Ze keek triomfantelijk de kring rond.

Dat was het moment waarop Lieke barstte. Ze sprong overeind. Haar ogen flikkerden en haar mond was vertrokken tot een smalle streep. 'Gaan jullie soms voor een heel elftal?' vroeg ze hatelijk. 'Toen Marja zich aankondigde liep je te zeuren dat het je niet goed uitkwam, maar ondertussen werp je het ene kind na het andere. Zoek eens een andere hobby.'

'Nou zeg, waar slaat dat nou weer op?' reageerde Anneke beledigd.

Noortje trok Lieke terug in haar stoel, ze legde kalmerend haar hand op haar arm.

'Doe even normaal,' zei Sjoerd kwaad.

'Dat maak ik zelf wel uit!' raasde Lieke verder. 'Dat gezeik over baby's de hele tijd. Er zijn ook nog andere gespreksonderwerpen, hoor.' Plotseling begon ze te huilen. Wilde snikken welden op in haar keel en lang verdrongen tranen stroomden over haar wangen. Ze wilde wegrennen, maar weer was het Noortje die haar tegenhield. Ze sloeg haar armen beschermend om Lieke heen. De rest viel stil bij deze onverwachte uitbarsting. Hulpeloos keken ze elkaar aan.

'Wat is er met jou aan de hand?' waagde Froukje het te vragen. 'We weten allemaal dat je ergens over inzit, heeft dat met baby's te maken? Ben je soms ook...?' Ze durfde niet verder te praten.

Lieke schudde wild met haar hoofd. 'Was het maar waar,' bracht ze met moeite uit.

Noortje keek haar vragend aan en Lieke knikte. Die twee begrepen elkaar zonder woorden.

'Lieke is onvruchtbaar,' vertelde Noortje nu aan de rest van de familie. 'Na onderzoek is gebleken dat ze vervroegd in de overgang zit en de kans op een zwangerschap is praktisch nihil.'

'O, wat erg.' Froukje sloeg geschrokken haar hand voor haar mond. 'Waarom heb je dat niet verteld?'

Lieke schokschouderde. 'Ik wil geen medelijden,' zei ze, resoluut de tranen van haar gezicht vegend. 'Niemand wist dat David en ik bezig waren om zwanger te raken, dus hoefde ik ook niets te zeggen toen het niet lukte. Op de dag van de uitslagen vertelde Noortje dat ze zwanger was, voor mijn gevoel kon ik er toen niet ineens mee voor de dag komen.'

'Toen ik net zei dat ik misschien weer zwanger ben, had je er anders geen moeite mee om de aandacht op jezelf te richten,' zei Anneke, nog steeds beledigd.

'Zeur niet,' wees Noortje haar scherp terecht. 'Het laatste wat Lieke nu kan gebruiken, zijn verwijten. Probeer je eens in haar situatie te verplaatsen.'

'Laat maar,' zei Lieke. Ondanks haar bleke gezicht waar de sporen van tranen nog duidelijk zichtbaar op waren, keek ze Anneke fier aan. 'Het spijt me dat ik je nieuws heb bedorven, het werd me even allemaal te veel.'

'Geeft niet,' mompelde Anneke. Iets anders kon ze nu moeilijk zeggen. Alle ogen waren op haar gericht, zelfs Sjoerd keek haar kwaad aan.

'Het lijkt me alleen maar goed dat het nu naar buiten komt,' zei Leen, rustig als altijd. 'We hadden allemaal wel in de gaten dat er iets speelde, Lieke, dat kun je niet zomaar verborgen houden. Dat is trouwens ook niet nodig. We zijn familie, ook in dit soort situaties zijn we er voor elkaar.'

'Alsof jullie me kunnen helpen,' spotte Lieke.

'We kunnen in ieder geval naar je luisteren als je erover wilt praten.'

'Dat is nou net wat ik niet wil. Geen gesprek ter wereld kan me mijn vruchtbaarheid teruggeven en dat is het enige waar ik wat aan zou hebben.' Ze slikte moeizaam.

'Is er echt niets aan te doen?' vroeg Sjoerd onbeholpen. Hij maakte een vaag gebaar met zijn handen. 'Reageerbuisbevruchting of zo?'

'Nee, dat heeft in mijn geval allemaal geen zin.' Het klonk zo afwijzend dat hij er niet verder op door durfde te gaan, maar Lieke praatte zelf al verder. 'Eiceldonatie is eventueel een optie, maar dat gaat me eerlijk gezegd te ver. Dan blijft er nog adoptie over, dat is echter iets waar zowel David als ik nog niet echt achter staan. Zo'n besluit neem je niet zomaar en we moeten eerst alles nog verwerken voor we daaraan kunnen denken.'

Niemand stond erbij stil dat ze eigenlijk weer aan het werk moesten. Alle aandacht was nu op Lieke gericht. Noortje voelde even een lichte steek van jaloezie. Ze was zo blij geweest met haar nieuws, maar niemand had daar nog belangstelling voor. Ze ving de begrijpende knipoog van Leen op en boog beschaamd haar hoofd. Hier zat ze dan, zwanger en wel, jaloers te wezen op de aandacht die haar onvruchtbare zusje kreeg. De zwangerschap had geen veredelende uitwerking op haar, dacht Noortje met zelfkennis.

'Zien we David daarom tegenwoordig zo weinig?' vroeg Mark.

'Ja, David heeft het te druk met het wegzuipen van zijn verdriet,' flapte Lieke er bitter uit.

Froukje beet op haar onderlip en keek hulpzoekend naar Sjoerd.

'Oké, dit is blijkbaar het tijdstip voor confidenties,' zuchtte hij. 'Gooi het er allemaal maar uit, Lieke. Geeft het problemen tussen jullie?'

'We hebben bijna voortdurend ruzie.' Nu ze eenmaal begonnen was, was Lieke niet meer te stoppen. Alle ellende van de laatste maanden kwam eruit in één lange woordenstroom. Onafgebroken was ze aan het woord, vertellend over de moeilijkheden die zij en David ondervonden sinds die fatale uitslag. Zijn druk om onderzoeken te ondergaan die volgens haar geen nut meer hadden, zijn vele drinken, de lange dagen die hij maakte op zijn werk omdat hij geen zin had om thuis te zijn, zijn verwijten omdat ze niet jaren eerder gestopt was met het gebruiken van voorbehoedsmiddelen en zijn totale gebrek aan inlevingsvermogen.

'Ik mag niet klagen, want ik weiger zelf om verder de medische molen in te gaan, dus nu is het mijn eigen schuld,' eindigde ze cynisch.

Het bleef lang stil na haar verhaal, niemand wist goed wat

te zeggen. Uitgeput leunde Lieke achterover in haar stoel. Ze voelde zich volkomen leeg vanbinnen nu ze eindelijk eens haar hart had kunnen luchten. Al pratende had ze voor het eerst alles voor zichzelf op een rijtje kunnen zetten zonder dat haar gedachten chaotisch alle kanten op gingen en haar verwarden. Praten werkte bevrijdend, ontdekte ze. Haar problemen werden er niet door opgelost, maar het luchtte wel op om haar masker even af te kunnen zetten. Haar pogingen net te doen alsof er niets aan de hand was, waren behoorlijk energieverslindend geweest.

'Zal ik eens met hem praten?' stelde Leen aarzelend voor. 'Ik weet niet of het veel nut heeft, maar toch... Het is misschien het proberen waard. Waarschijnlijk voelt hij zich net zo beroerd als jij en kropt hij dat ook allemaal op.'

'Ik weet het niet.' Lieke haalde vermoeid haar schouders op. 'Zolang hij mij verwijt dat ik niet veel eerder kinderen wilde hebben, valt er weinig te zeggen. Daar is gewoon niet tegen in te redeneren. En misschien heeft hij ook wel een beetje gelijk. David wilde al meteen na ons trouwen een gezin stichten. Als ik daarin mee was gegaan, hadden we nu niet met deze ellende gezeten.'

'Dat is natuurlijk onzin,' zei Froukje resoluut. 'Ga jezelf geen zinloze verwijten aanpraten omdat hij niet goed met zijn gevoelens van onmacht om kan gaan, Liek. Dat slaat nergens op. Vanuit die redenatie bezien zou iedere vrouw van begin twintig de voorbehoedsmiddelen aan de kant moeten schuiven omdat het later misschien niet meer lukt.'

'Ik zal hem eens bellen en hem uitnodigen voor een drankje. Van man tot man praat makkelijker,' beloofde Leen.

'Ik wens je veel succes. Hopelijk lukt het jou wel om een normaal gesprek met hem aan te gaan, ik heb de moed al opgegeven.' Lieke stond op en bewoog haar hoofd heen en weer, alsof ze alles van zich af wilde schudden. 'Ik ga aan het werk. Dat is tenminste iets waar ik wel goed in ben.' Ze liep in de richting van het hotel, haar familieleden bedrukt achterlatend.

'Wat een ellende,' vertolkte Froukje hun aller gedachten. Ze wendde zich tot Noortje. 'Jij wist dit dus?'

'Wel iets, niet alles. Dat het tussen haar en David zo slecht gaat, had ze niet verteld.'

'Arme Lieke,' zei Anneke terwijl ze opstond en de bekers en de koffiekan op het dienblad zette. 'Kinderen hebben valt echt niet altijd mee, maar ik zou ze voor al het geld van de wereld niet willen missen. Het lijkt me vreselijk om te horen dat je ze niet kunt krijgen.'

'Daar heb jij in ieder geval geen last van. Ben je inderdaad weer zwanger?' informeerde Sjoerd. Hij nam het blad van haar over en al pratend liepen ze weg.

De rest volgde nu ook. Hun koffiepauze had vandaag bijzonder lang geduurd en het werd hoog tijd dat ze weer aan het werk gingen. Waarschijnlijk zaten ze binnen al met smart op hen te wachten. Noortje stak haar arm door die van Leen.

'Ons nieuwtje is wel in het water gevallen,' zei ze enigszins triest. 'Ik hoop dat het weer goed komt tussen David en Lieke. Wanneer ga je hem bellen?'

'Zo snel mogelijk,' nam Leen zich voor. 'Al weet ik eerlijk gezegd niet goed wat ik tegen hem moet zeggen. Als aanstaande vader ben ik wellicht de laatste naar wie hij wil luisteren. Vanuit zijn optiek heb ik natuurlijk makkelijk praten.'

'Je hebt het altijd maar druk met de sores van mijn familie,' zei Noortje met een klein lachje. 'Je begint zo langzamerhand onze privépsycholoog te lijken.'

'Misschien ben ik mijn roeping misgelopen,' grijnsde Leen.

Nog steeds gearmd liepen ze het hotel in, waar Paul hen achter de receptie opwachtte.

'Alles goed?' informeerde hij bezorgd. 'Ik wilde iets vragen, maar jullie waren zo heftig in gesprek dat ik niet goed durfde te storen. Toch geen vervelend nieuws gehad bij de verloskundige?'

'Integendeel.' Leen knikte hem hartelijk toe. Hij mocht Paul graag. Hij werkte hard, was altijd vriendelijk en beleefd tegen de gasten en voelde zich al helemaal op zijn plek in het hotel. Noortje stevig tegen zich aan drukkend vervolgde Leen: 'We hebben net te horen gekregen dat we een meisje verwachten. Een dochter.' Hij klonk trots.

'Wat geweldig.' Paul timmerde hem enthousiast op de schouder, daarna kuste hij Noortje hartelijk op beide wangen. 'Gefeliciteerd, mensen. Hartstikke leuk voor jullie.'

Blij en gelukkig nam Noortje zijn felicitaties in ontvangst.

Door Liekes felle uitbarsting had hun nieuws binnen de familie niet de aandacht gekregen die ze verwacht en gehoopt had. Ze voelde zich schuldig tegenover Lieke omdat ze haar dat toch een beetje kwalijk nam. Terwijl Leen en Paul zich over een probleem bij een boeking bogen, liep Noortje met gemengde gevoelens door naar haar eigen afdeling. Ze had enorm te doen met haar tweelingzus, maar aan de andere kant wilde ze haar eigen zwangerschap niet laten overschaduwen door de problemen die Lieke tegelijkertijd ondervond. Of was ze nu heel erg egoïstisch bezig?

Ze kwam er niet goed uit. Het laatste wat Noortje wilde, was zelfzuchtig zijn. Dat lag totaal niet in haar aard en ze verfoeide het bij anderen. Een onvruchtbare tweelingzus hebben, betekende echter niet dat ze niet mocht genieten van haar eigen zwangerschap en alles wat daarbij kwam kijken. De timing van dit alles was dan ook wel erg beroerd.

Vanuit de deuropening keek ze naar de spelende kinderen in de crèche. Ze hield van haar werk, het nam haar echter lang niet meer zo in beslag als enkele maanden geleden. Ze had vaak moeite om haar aandacht erbij te houden en kon niet meer zo relativeren als voor haar zwangerschap. Ze raakte laatst helemaal in paniek bij een onschuldig valpartijtje van een kind, alleen al bij de gedachte aan wat er had kunnen gebeuren. Het werd tijd om een beetje afstand te nemen, besefte Noortje. Van haar werk, van het hotel en van de problemen van Lieke, waar ze nu dagelijks mee werd geconfronteerd zonder dat ze haar kon helpen.

Het besluit om voorlopig te stoppen met werken als haar baby geboren was, had Noortje al genomen. Nu besloot ze echter om dat tijdstip te vervroegen. Zodra er vervanging voor haar was gevonden, hield ze ermee op, nam ze zich voor. Het liefst zo snel mogelijk.

HOOFDSTUK 12

Diezelfde avond besprak ze het met Leen. Hij knikte bedachtzaam na haar uiteenzetting. 'Ik begrijp het, maar we zullen je missen in het hotel,' zei hij.

'Anders was ik toch ook gestopt na de bevalling, het wordt nu alleen wat vervroegd. Ik hoop dat je snel vervanging voor me kunt regelen.'

'Ben je ons ineens zat?' vroeg hij plagend.

'Eigenlijk wel, ja,' ging Noortje daar serieus op in. 'Al die problemen die in het hotel spelen, beginnen me op te breken. Het lijkt allemaal zo futiel vergeleken bij mijn zwangerschap en toch word ik daarvan afgeleid op deze manier.'

'Ben je niet bang dat je wereldje heel klein gaat worden als je alles afstoot?' wilde Leen weten. 'Je bent ook al gestopt met je vrijwilligerswerk in het centrum.'

'Dat is slechts tijdelijk, als ik na de bevalling hersteld ben, pak ik dat weer op,' hielp Noortje hem herinneren. 'Het lijkt me heerlijk om voorlopig even helemaal niets anders aan mijn hoofd te hebben dan onze dochter en alle voorbereidingen voor haar komst. Ik heb last van vroege nesteldrang,' grinnikte ze.

Hij keek haar peinzend aan. 'Zeg eens heel eerlijk, spelen de problemen van Lieke ook niet mee in je besluit? Haar positie is momenteel tegengesteld aan die van jou, vind je het moeilijk om daarmee om te gaan?'

'Ook,' antwoordde Noortje eerlijk. 'We zijn niet de geijkte tweeling die alles samen doet en alles tegelijkertijd beleeft, maar dit is het andere uiterste. Ik voel me schuldig naar haar toe omdat ik wel zwanger ben. Tegelijkertijd vind ik wel dat ik recht heb om van deze periode in mijn leven te genieten zonder constant rekening te moeten houden met haar verdriet. Het is behoorlijk verwarrend allemaal. Is het vreemd dat ik daar zo mee zit?'

'Niet echt, nee. Het is wel jammer dat het precies allemaal zo samenvalt. Ik zit daar zelf ook mee,' bekende Leen. 'Het vlakt toch iets van je geluk af, maar het klinkt heel vervelend en egoïstisch als je dat zegt.'

'Ik ben in ieder geval blij dat ik niet de enige ben met dergelijke gevoelens, want ook daar voelde ik me alweer schuldig om. Over Lieke gesproken, heb jij David al gebeld?'
Leen knikte. 'Hij vond het nogal vreemd dat ik hem uitnodigde om samen iets te gaan drinken en hij reageerde terughoudend, maar ik heb hem toch over kunnen halen. We hebben om halfnegen afgesproken in de stad.' Hij keek op de klok. 'Wat betekent dat we nu toch echt moeten gaan eten, anders haal ik dat niet eens. Zal ik pizza bestellen? Van koken komt nu toch niets meer.'
'Daar heb ik inderdaad helemaal geen zin meer in.' Noortje strekte zich lui uit op de bank. 'Ik ben moe. Het werken met die dikke buik valt me best wel zwaar, ik kom 's avonds nergens meer toe. Ik verheug me op de tijd dat ik niet meer verplicht de deur uit hoef en mijn dagen zelf in kan delen.'
'Als je je zussen maar niet overhaalt om constant vrij te nemen zodat je met ze kunt gaan shoppen voor de uitzet,' plaagde Leen haar. 'Er is momenteel al verloop genoeg onder het personeel, ik moet een paar mensen hebben waar ik van op aan kan.'
'Ik beloof niets,' grinnikte Noortje.
Ze hield helemaal niet van winkelen, maar sinds ze zwanger was had ze er haar nieuwe hobby van gemaakt, plaagde Leen wel eens. Voor het eerst genoot ze onbekommerd van het feit dat ze kon kopen wat ze wilde, zonder op de prijzen te hoeven letten, een genot dat haar familieleden al vlak na het winnen van de grote geldprijs hadden ontdekt, maar waar zij zich altijd verre van had gehouden. Tot nu toe dus. De kast in haar slaapkamer puilde inmiddels uit van de noodzakelijke en minder noodzakelijke babyspullen.
Na het eten nestelde Noortje zich voor de tv terwijl Leen de deur uit ging. Hij had met David afgesproken in een café in het centrum waar hij normaal gesproken nooit kwam, om de kans om bekenden tegen te komen zo klein mogelijk te houden. Hij zag nogal tegen het komende gesprek op. Hij wist niet eens waar hij moest beginnen, bekende hij voor zichzelf. Zijn aanbod om met David te praten had hij impulsief gedaan bij het zien van Liekes verdrietige gezichtje, nu had hij daar echter spijt van. Hoe had hij kunnen denken dat hij

wel iets aan hun situatie kon veranderen? Enfin, hij kon het in ieder geval proberen, hield Leen zichzelf voor, al vroeg hij zich met de moed der wanhoop af wat hij in vredesnaam tegen zijn zwager moest zeggen.

David zat al aan de bar bij zijn binnenkomst. Hij had al het nodige op, zag Leen in één oogopslag. Het glas jenever dat voor hem stond was duidelijk niet zijn eerste van die avond. 'Zo, zwager,' begroette David hem enigszins spottend. Hij wenkte de barman en wees op zijn glas, waarna hij twee vingers opstak.

'Voor mij niet,' zei Leen haastig. 'Ik hou het bij cola.'

'Braaf, hoor.'

'Ik heb de hoofdpijn er niet voor over,' zei Leen terwijl hij naast David ging zitten. 'Hoe is het?'

David haalde zijn schouders op. 'Kan beter,' antwoordde hij vaag. 'Al vraag ik me af waarom ik zo plotseling op moest komen draven. Vertel op, man. Wat heb je te bepraten met me?'

'Heeft Lieke niets gezegd?' informeerde Leen voorzichtig, aftastend in hoeverre David op de hoogte was van het feit dat de familie van zijn huwelijksproblemen wist.

'Ik heb Lieke nog niet gezien vandaag, ik ben vanaf mijn werk hierheen gekomen,' zei David.

Dan zit hij hier dus al een paar uur, geen wonder dat hij niet meer helemaal helder is, dacht Leen. Waarschijnlijk had hij ook nog niets gegeten. Lieke had dus inderdaad niets te veel gezegd toen ze beweerde dat David hun huis zo veel mogelijk meed.

'Ik was gewoon benieuwd hoe het met je gaat,' hield hij zich wat op de vlakte. 'Lieke heeft haar zussen met wie ze kan praten, ik dacht dat jij wellicht ook behoefte had aan een luisterend oor. Het valt niet mee voor jullie.'

David kneep zijn ogen tot spleetjes. 'Wat heeft Lieke jullie verteld?'

'Dat jullie geen kinderen kunnen krijgen,' antwoordde Leen summier.

'En nu kom jij, als aanstaande vader, mij even een hart onder mijn riem steken?' David lachte onaangenaam. 'Denk je werkelijk dat dat helpt?'

'Waarschijnlijk meer dan je volgieten met alcohol.'

111

'Aha, dus daar heeft ze zich over beklaagd,' begreep David meteen. 'En jij hebt je opgeworpen als redder in nood om mij van de drank af te krijgen? Hoe nobel.'

'Ik dacht dat je misschien behoefte had aan een goed gesprek,' zei Leen weinig op zijn gemak. De loop die het gesprek nam beviel hem niet, alleen wist hij niet hoe hij het tij moest keren. Deze David kende hij niet. Normaal gesproken was zijn zwager een rustige, leuke vent met wie een goed gesprek te voeren viel. De man die nu naast hem zat, met de bloeddoorlopen ogen, was daar het tegenovergestelde van.

'Een goed gesprek maakt Lieke niet in een keer vruchtbaar,' wierp David tegen.

'We vinden het allemaal heel erg voor jullie. Is er iets wat ik kan doen?' vroeg Leen tegen beter weten in.

'Tegen Lieke zeggen dat ze niet onmiddellijk op moet geven.' Het klonk cynisch. 'Haar koppigheid houdt alles tegen. In het buitenland zijn ze veel verder dan hier, maar ze weigert naar Amerika te gaan voor verder onderzoek. Alsof het haar niets kan schelen.'

'Misschien is dat helemaal niet zo verkeerd,' zei Leen voorzichtig. 'Soms moet je je neerleggen bij het onvermijdelijke. Niet tot het uiterste willen gaan, maar toegeven dat je mogelijkheden beperkt zijn en je toekomst anders inrichten dan oorspronkelijk de bedoeling was, getuigt ook van moed.'

'Dan moet ze verdomme ook niet klagen en zeuren over het feit dat ons huwelijk kinderloos blijft,' viel David onverwacht fel uit.

'Realistisch zijn wil niet zeggen dat je geen verdriet hebt.'

'Verdriet, verdriet.' David snoof minachtend. 'Ik heb ook verdriet, maar ik maak de situatie er niet beter op door ook met zo'n witte smoel door het huis te lopen, daarom houd ik me in. Je problemen onder ogen zien, oplossingen bedenken en aanpakken, dat is veel beter dan zielig in een hoekje weg te kruipen en te zwelgen in zelfmedelijden.'

'Soms zijn er geen oplossingen. Soms moet een mens gewoon accepteren wat er op zijn pad komt.'

'Zeg, aan wiens kant sta jij eigenlijk?' vroeg David met een lage stem. 'Ik dacht dat je zei dat je mij wilde helpen, maar tot nu toe ben je alleen maar bezig Lieke te verdedigen.'

'Ik was me er niet van bewust dat jullie twee verschillende kampen vormen,' zei Leen niet helemaal naar waarheid. David snoof. 'Maak dat de kat wijs. Ik ken de familie Nieuwkerk ondertussen wel. Lieke heeft ongetwijfeld uitentreuren verteld wat er bij ons aan schort. Ik zal de boeman wel zijn die geen begrip voor haar toont en die te veel drinkt.'
'Is dat dan niet zo?' Leen wees naar het glas op de bar. 'Dit is niet je eerste van vandaag. Als je iedere dag zo veel drinkt, kan ik me voorstellen dat Lieke daar problemen mee heeft.'
'Een mens moet toch wat.' Moedeloos haalde David zijn schouders op. 'Het loopt nergens lekker momenteel. Thuis niet, op mijn werk niet. Een drankje op zijn tijd helpt me om die ellende even te vergeten.'
'Dat is een heel gevaarlijke opmerking,' waarschuwde Leen hem. 'Ik ben ook niet vies van een borrel op zijn tijd, maar dan vooral om iets te vieren of gewoon voor de smaak. Drinken uit ellende is vragen om nieuwe problemen.'
'Ach, bemoei je daar niet mee,' zei David nijdig. 'Wat weet jij daar nou van? Met je aanstaande kind en je goede baan?'
'Jij hebt ook een goede baan.'
'Misschien niet lang meer. Alles staat op de tocht bij ons. De crisis hakt er diep in.'
'Dat lijkt me juist een reden om extra scherp te blijven.'
'Het is zo makkelijk praten vanaf de zijlijn. Ik zie alles om me heen langzaam maar zeker in elkaar storten.'
'Je huwelijk ook, als je zo doorgaat. Stop ermee, David. Praat met Lieke, verwerk dit samen.'
'Ze heeft het al moeilijk genoeg zonder dat ik aan haar hoofd ga lopen zeuren over mijn werk.'
'Daar zit je juist verkeerd. Dit soort problemen hoor je samen te lijf te gaan. Op deze manier groeien jullie alleen maar verder uit elkaar. Als jij zegt waar je mee zit, zal ze meer begrip voor je hebben.'
'En minder zaniken zeker?' vroeg David spottend. 'Man, had ik maar zekerheid voor de helft. Een café opzoeken en een drankje nemen behoedt me daar meer voor, denk ik. Dan ben ik tenminste even uit haar buurt.'
Leen luisterde ontsteld naar deze bittere woorden. Was het werkelijk al zo ver mis tussen zijn schoonzus en zwager? Het

klonk niet bepaald bemoedigend. 'Ga alsjeblieft eens samen om de tafel zitten en praat met elkaar,' verzocht hij dringend. 'Voordat het helemaal te laat is.'

'Ik heb wekenlang niet anders gedaan dan praten, maar ze luistert gewoon niet. Ze blijft maar volhouden dat er niets aan te doen is en dat we ons erbij neer moeten leggen dat we nooit kinderen zullen krijgen. Ik kan dat niet.' Plotseling sloeg David hard met zijn vlakke hand op de bar, zodat enkele mensen verschrikt omkeken. Leen maakte een sussend gebaar om aan te geven dat er niets aan de hand was. 'Ik kan het echt niet, Leen. De wetenschap dat ik nooit vader zal worden vliegt me af en toe naar mijn strot en dan heb ik het gevoel dat ik geen adem meer kan halen. Alles mislukt ineens in mijn leven. Het glipt zomaar uit mijn handen.'

David wenkte de barman, maar Leen schudde zijn hoofd. 'Geen drank meer, alleen de rekening graag,' zei hij kort.

Zonder morren betaalde hij een fiks bedrag. Dat was een duur colaatje, dacht hij wrang bij zichzelf. David had nog meer gedronken dan hij dacht. Hij wankelde dan ook toen hij opstond van zijn barkruk en Leen pakte hem stevig bij zijn arm. 'Ik breng je thuis, je auto kun je morgen wel ophalen.'

Willoos na zijn uitbarsting van daarnet liep David met hem mee. Onderweg sprak hij geen woord meer, hij staarde somber voor zich uit.

'Zoek professionele hulp als je het niet meer aankunt,' zei Leen zodra ze bij het huis van David en Lieke arriveerden. David haalde alleen zijn schouders op en gaf geen antwoord. Leen wachtte tot zijn zwager binnen was voor hij wegreed. Het zag er niet best uit voor dat huwelijk. Op dat moment was hij dubbel dankbaar voor Noortje en hun komende kindje.

De volgende morgen nam hij Lieke even apart bij haar binnenkomst in het hotel. 'Ik heb gisteren met David gepraat, heeft hij dat nog gezegd?'

'Nee. Ik sliep al toen hij thuiskwam en vanmorgen was hij al vroeg weg. We spreken elkaar niet meer zo vaak,' antwoordde ze bitter. 'Maar ach, dat scheelt weer ruzie.'

'Hij heeft het moeilijk,' zei Leen.

Liekes ogen verdonkerden zich. 'Echt?' zei ze sarcastisch. 'Goh, ik dacht dat ik de enige was met problemen.'

'Sarcasme staat je niet,' wees Leen haar kalm terecht. 'Ik ga tegen jou hetzelfde zeggen als ik tegen hem heb gezegd; jullie moeten eens om de tafel gaan zitten en een goed gesprek voeren in plaats van elkaar verwijten te maken. Begrip tonen voor de ander.'

'Dat ik daar nou niet zelf op gekomen ben,' zei ze spottend. 'Bedankt voor je hulp, Leen, maar op deze manier heb ik er weinig aan.'

'Wat had je dan verwacht? Dat ik een pasklare oplossing voor jullie problemen aan zou reiken? Was het maar zo makkelijk. Als ik dat kon, had ik het echt niet gelaten, geloof me. Jullie zijn allebei zo bezig met je eigen verdriet dat je de ellende van de ander niet meer ziet. Jullie vegen elkaars argumenten van tafel in plaats van je er serieus in te verdiepen. Dat is overigens geen verwijt, maar een constatering.'

'Dat valt dan alweer mee. Maak dit soort dingen David maar duidelijk.'

'Dat heb ik geprobeerd.'

'Is hij bereid te stoppen met drinken?'

'De alcohol verdooft zijn gevoelens, zegt hij.'

Lieke knikte alsof ze dat al verwacht had. 'Zo begint iedere alcoholist volgens mij.' Haar mond vertrok tot een smalle streep. 'In ieder geval bedankt, echt waar.'

Ze wilde weglopen, maar Leen hield haar tegen. 'Wil je er eigenlijk nog wel voor vechten?' vroeg hij dringend.

Lieke staarde hem aan, haar ogen stonden leeg. 'Ik weet het niet,' was haar eerlijke antwoord.

Leen keek haar hoofdschuddend na. Dit was niet het antwoord waar hij op gehoopt had. Waar deed hij eigenlijk nog moeite voor als de strijdende partijen de moed al hadden opgegeven om er nog iets van te maken?

'Wat sta jij hier te peinzen?' Plotseling dook Noortje naast hem op.

'Lieke,' antwoordde hij summier.

Ze knikte begrijpend. 'Dan weet ik genoeg. Ze is behoorlijk deprimerend, hè?'

'Ik kan het haar niet kwalijk nemen. Waar ga jij naartoe?'

Noortje trok een grimas. 'Froukje vertellen dat ik stop met werken. Wens me maar sterkte.'

'Froukje runt de tent niet, je hoeft het haar niet te zeggen als je niet wilt. Voorlopig is het genoeg dat ik het weet.'

'Zo werkt het niet in onze familie, dat weet jij net zo goed als ik. Ik vertel het iedereen liever persoonlijk. Omdat ik weet hoe Froukje gaat reageren neem ik haar als eerste, dan heb ik dat maar gehad.'

'Ze zal het je zeker niet in dank afnemen,' was Leen het met haar eens. Hij kon er niet verder op doorgaan omdat een van de gasten zijn aandacht vroeg vanwege een probleem met de kamer. Achter de rug van die man om gaf Noortje hem nog snel een kushand voor ze naar de kapsalon ging. Froukje deed net een klant uitgeleide, haar medewerkster Tanja was aan het opruimen.

'Kom je even buurten?' vroeg Froukje hartelijk.

'Eigenlijk kom ik je iets vertellen.' Noortje wierp een veelbetekenende blik op Tanja, iets wat Froukje meteen begreep.

'Tijd voor een koffiepauze,' zei deze opgewekt. 'Tan, ik ben even weg. Tot straks.'

Naast elkaar liepen de zussen richting de uitgang. Het was schitterend weer, dus besloten ze buiten op het bankje voor de oprit te gaan zitten.

'Kom op met je nieuws,' bedong Froukje daar. 'Wat heb je voor schokkends te melden?'

Noortje haalde diep adem. Belachelijk eigenlijk. Ze gedroeg zich alsof ze een moord moest bekennen terwijl ze alleen maar wilde vertellen dat ze niet langer in het hotel bleef werken. Die uitwerking had Froukje tegenwoordig op haar familieleden, dat was tevens een van de redenen van haar besluit. Ze kreeg steeds meer het gevoel dat ze een ondergeschikte van haar zus was. De gelijkwaardigheid waarmee ze destijds het hotel waren begonnen, was verdwenen sinds Froukje alles naar zich toe trok. Destijds was de hiërarchie veel duidelijker. Barend en Marga stonden bovenaan. Daaronder, op dezelfde lijn met elkaar, stonden hun kinderen. Met Marga's overlijden en Barends vertrek was dat weggevallen. Ze hadden allemaal evenveel rechten en plichten als het om het hotel ging, maar in de praktijk was die verdeling allang niet meer evenredig. Froukje nam het voortouw in alles en bemoeide zich bovendien overal mee, terwijl de andere drie zich voornamelijk bezighielden met hun eigen afdelingen.

'Ik wil je even laten weten dat ik stop met werken,' zei ze.

'Je bedoelt dat je met verlof gaat? Is dat nu al dan? Zo ver ben je toch nog niet?'

'Ik ga niet met verlof. Ik stop met werken,' herhaalde Noortje. 'Leen is op zoek naar vervanging voor me, zodra hij die gevonden heeft, kap ik ermee.'

'Wat? Voorgoed?' vroeg Froukje ongelovig.

'Dat weet ik nog niet. In ieder geval voorlopig. Ik wil zelf voor mijn kind zorgen.'

'Doe niet zo belachelijk.' Froukje begon te lachen, al klonk het niet van harte. 'Je bent nota bene leidster van een crèche. Jij kunt zelfs op je werk voor je eigen kind zorgen.'

'Ik hoef me tegenover jou niet te verantwoorden. Dit was een mededeling, geen verzoek om toestemming,' zei Noortje stroef.

'Je kunt niet zomaar stoppen wanneer je wilt. Door een hotel te beginnen hebben we verantwoordelijkheid op onze schouders genomen, die kun je niet negeren omdat je er even geen zin meer in hebt.'

'Ik ga niet weg voordat er een goede opvolgster gevonden is, ik laat de boel heus niet in de steek.'

'Dat zou je anders niet zeggen,' zei Froukje nu kwaad. 'Pa is er al vandoor, nu jij weer. Op deze manier blijft er niets van ons werk over.'

'We hoeven niet per se zelf dagelijks in het hotel te zijn, dat was onze eigen keus. Net zoals het nu mijn eigen keus is om ermee op te houden. Ik blijf uiteraard wel deel uitmaken van de directie en als het nodig is kan ik altijd invallen, maar ik ga nu een andere fase van mijn leven in.'

'Moedertje en huisvrouw spelen,' schimpte Froukje.

'En daar verheug ik me enorm op,' zei Noortje met ingehouden woede. Ze stond op voordat het op ruzie uit zou draaien. 'We worden ouder en onze levens veranderen, Froukje. Dat zul je moeten accepteren. Alles is aan verandering onderhevig. We kunnen niet allemaal ons leven lang in het hotel blijven werken omdat jij dat graag wilt.'

'Wat is er mis mee om de dingen te houden zoals ze zijn?' zei Froukje heftig. 'Iedereen gaat ineens een andere kant op.'
'Het hotel zal altijd deel uit blijven maken van onze familie, daar hoef je niet bang voor te zijn.'
'Wat een dooddoener. Ik vind dat je er wel erg makkelijk uit stapt,' verweet Froukje haar.
Noortje haalde haar schouders op. 'Je mag denken wat je wilt, maar ik bepaal toch nog altijd zelf wat ik doe. Ga je mee naar binnen?'
'Nee, ga maar. Ik kom zo.'
Froukje keek stug de andere kant op. Ze was behoorlijk geraakt door Noortjes mededeling. Alles waar ze zo hard voor had gewerkt leek ineens uit haar handen te glippen. Eerst hun vader die zich overal aan onttrok, toen Mark met zijn toekomstplannen en nu Noortje weer. Zij was destijds met het plan voor een hotel gekomen om de tanende familiebanden weer nieuw leven in te blazen, iets wat heel goed was gelukt door dit gezamenlijke project. Nu begon het er echter op te lijken dat het slechts een tijdelijke opleving was geweest. Voor niemand van de familie was het hotel zo belangrijk als voor haar, dat was in ieder geval wel duidelijk. Froukje had het gevoel dat ze door iedereen in de steek werd gelaten. Een zeer onprettig gevoel. Zij zou het hotel in ieder geval nooit verlaten, nam ze zich niet voor de eerste keer voor. Dit was háár levenswerk.

HOOFDSTUK 13

De schoonheid van Australië met zijn ruige natuur en talloze stranden overweldigde Barend totaal. Shelly en Jason woonden in Sydney, maar Barend en Pamela maakten eerst een korte rondreis voor ze naar Pamela's familie gingen. Ondanks de hitte, die genadeloos toesloeg, genoot hij enorm. De middagen bracht Barend door in de door airco gekoelde hotelkamer, de vroege ochtenden en de avonden was hij zo veel mogelijk buiten om de omgeving te verkennen. Hij zoog alles in zich op als een droge spons het water. Dit was geweldig! Waarom was hij hier eigenlijk nooit eerder naartoe gegaan? Het was een vraag waar hij onmiddellijk het antwoord op wist. Geldgebrek. En toen dat niet meer opging, was het tijdgebrek. De eerste maanden na het winnen van de prijs was hij volledig in de zakenwereld gedoken, daarna kwamen de eerste plannen voor het hotel op tafel. Marga had trouwens niet van lange vliegreizen gehouden, zij vond Spanje al heel ver.

Hij kwam hier zeker nog een keer terug, nam Barend zich bij voorbaat al voor. Tenslotte was er nu niets meer wat hem tegenhield om verre reizen te maken wanneer hij wilde.

Dromerig staarde hij vanaf het balkon van hun hotelkamer naar het schitterende vergezicht. Dit was toch wel een heel verschil met Nederland, waar alles vlak op elkaar gebouwd was. Zijn ogen leken geen genoeg te krijgen van al het moois om zich heen. Zijn blik werd pas van het natuurschoon losgerukt op het moment dat hij Pamela's voetstappen het balkon op hoorde komen. Ook hier droeg ze hakken en hij herkende het geluid van haar voetstappen inmiddels uit duizenden. Ze had twee glazen wijn in haar handen, waar ze er een van aan Barend overhandigde. Bevallig nam ze plaats op een van de luxe ligstoelen die voor hen klaarstonden, waarna ze haar ogen goedkeurend over Barend liet glijden. Hij zag er goed uit in dat lichte zomerpak. In eerste instantie had ze het iets te jeugdig gevonden voor hem, maar die mening moest ze herzien toen hij het aan had getrokken. Hij leek weinig meer op de man die ze ruim een halfjaar geleden in het hotel achter de receptiebalie had aangetroffen. Gelukkig maar, dacht ze met een vage glimlach. Met deze Barend kon ze zich overal vertonen. Hij droeg zijn op maat gemaakte kleding met flair, zijn korte, strakke kapsel maakte hem jonger en de gouden bril gaf hem allure. De Australische zon had al wat kleur aan zijn gezicht gegeven, wat zijn gezicht een zachtere uitdrukking gaf.

'Geen spijt?' vroeg ze geamuseerd.

'Nog geen seconde,' antwoordde hij onmiddellijk. 'Dit was een gouden idee van jou, schat. We gaan in de toekomst nog veel meer reizen maken. Ik had nooit gedacht dat ik zo zou genieten van een vakantie.'

'Je bent niet de enige. Dank je wel.' Ze glimlachte naar hem.

'Je hoeft mij niet te bedanken. Wat van mij is, is van jou. Dat weet je. Ik hou van je.'

Ze ging niet op zijn liefdesverklaring in, maar staarde peinzend over de balkonrand naar de bergen in de verte.

'In dat geval moeten we eens iets vast laten zetten. Je weet dat het me niet om jouw geld gaat, maar stel dat jou iets overkomt...' Haar stem stierf langzaam weg en ze rilde.

'Bah, nee, daar wil ik niet eens aan denken.'

'Je hebt wel gelijk.' Barend liep op haar toe en ging naast haar zitten. Zijn hand streelde de hare. 'Zodra we terug zijn, zal ik een notaris inschakelen. Dit moet geregeld worden.'

'Ik wil nog niet aan teruggaan denken.'

'Dat hoeft ook niet. We hebben nog ruim drie weken.' Voorzichtig drukte hij een kus op haar wang. Zijn hand verplaatste zich naar haar rug, waar hij zachtjes overheen streek. 'We kunnen natuurlijk ook trouwen,' zei hij zonder haar aan te kijken.

Pamela pakte zijn gezicht in haar handen. 'Ondanks de schitterende entourage is dit natuurlijk een aanzoek van niets,' zei ze half lachend.

'Ik meende het wel.'

Langzaam schudde ze haar hoofd. 'Ik wil niet meer trouwen. Een samenlevingscontract en een goed testament zijn wat mij betreft voldoende. Trouwen is iets wat je maar eens in je leven doet.'

'Dat is altijd de intentie, maar soms loopt het anders,' zei Barend.

'Dan nog. We hoeven niet te trouwen om gelukkig te zijn, Barend.'

'Dat is waar.' Hij omklemde haar gezicht nu met beide handen. Wat deze vrouw in hem losmaakte was onbeschrijflijk. Diep snoof hij de geur van haar parfum op. 'Ik weet nog wel iets anders wat ons heel gelukkig kan maken,' zei hij met een klein lachje.

'Een drankje en een hapje op het terras bijvoorbeeld,' ging Pamela daar op in terwijl ze opstond.

Teleurgesteld voelde hij hoe zijn handen van haar lichaam af gleden tot ze werkeloos op de stoel vielen.

'Er is vanavond livemuziek buiten. Ga je mee?'

'Ik kom eraan,' antwoordde hij afwezig. Dit was niet wat hij in gedachten had gehad als tijdsbesteding voor die avond. Hij zag dat ze bij de schuifpui naar hun suite op hem bleef wachten en kwam langzaam overeind. Het gele cocktailjurkje dat ze droeg, leek goud in de uitbundige zonnestralen. Zoals iedere keer weer werd hij getroffen door haar schoonheid. Een koele schoonheid, jammer genoeg. Hij was compleet in haar ban, al gaf ze hem op het lichamelijke vlak lang niet zo veel als hij hoopte. Maar wat ze gaf, was voldoende om hem dronken van geluk te maken. Het was onvoorstelbaar dat hij, die enige jaren geleden nog als bouwvakker had gewerkt, deze elegante vrouw de zijne mocht noemen, al was het dan niet officieel.

Alweer verzoend met het plan de avond op het terras door te brengen in plaats van in de hotelkamer, liep hij achter haar aan de brede trap af naar beneden. Diverse mensen in de foyer keken omhoog, hij zag bewonderende blikken van de mannen en jaloerse van de vrouwen. Barends hart zwol van trots toen ze, beneden aangekomen, haar arm door de zijne stak. Pamela bezat niet de warmte en de zorgzaamheid die Marga gekenmerkt had, maar zij had andere kwaliteiten.

Nederland was op dat moment heel ver weg voor Barend, zelfs in zijn hart. Aan zijn kinderen dacht hij amper, Pamela eiste al zijn aandacht op. Zijn eigen hotel leek iets abstracts in deze omgeving. Hij ging zo op in zijn nieuwe leven dat er weinig ruimte overbleef voor al het oude, vertrouwde dat hij achter had gelaten. In de herfst van zijn leven was hij een totaal nieuwe weg ingeslagen en dat beviel hem wonderwel. Hij beleefde de dagen als in een roes. Het was alsof het zo hoorde. Of alles wat hij tot nu toe had meegemaakt, hem hiernaartoe had geleid.

Op het terras vonden ze nog een leeg tafeltje, waar ze neer-streken. Het was gezellig druk. Het geluid van tientallen stemmen waaide over hen heen, in een hoek stond een band-je hun instrumenten te stemmen. De zwoele avondlucht was nog steeds warm, maar niet benauwd.

'Wat is het hier toch prachtig,' sprak Pamela. 'Geef toe, dit hotel is toch niet te vergelijken met jouw hotel in Nederland. Wil je daar werkelijk de rest van je leven je dagen slijten terwijl je ook hier kunt zijn?'

'Nee,' antwoordde Barend zonder na te denken. 'Ik wilde dat ik dit jaren geleden ontdekt had.'

'Beter laat dan nooit.' Pamela gaf de ober, die twee glazen wijn bij hen neerzette, een kort knikje met haar hoofd. 'De hele wereld ligt voor je open, Barend.'

'Dat begin ik me ook te realiseren. Het voelt nog wat onwer-kelijk.'

'Ik help je wel.' Haar ogen flonkerden hem tegemoet. Ze nam een slokje van de gekoelde wijn en leunde achterover in de comfortabele terrasstoel. 'Ik heb er weleens over gedacht om me hier voorgoed te vestigen.'

'Emigreren, bedoel je?'

Ze knikte. 'Naar Sydney, bij mijn dochter. Ze is op haar achttiende hierheen gegaan als backpacker en nooit meer teruggekomen, behalve dan om haar papieren te regelen. De liefde heeft haar hier gehouden.'

'Mis je haar?'

'Eigenlijk heb ik haar nooit als volwassene leren kennen. Ze vertrok als een tiener, pas hier is ze een volwassen vrouw geworden. We hebben contact via de computer, de telefoon en brieven en een enkele keer bezoek ik haar, maar dat is toch iets heel anders dan gewoon, dagelijks contact met je kind hebben.'

'Voor mij is dat eigenlijk heel vanzelfsprekend. Contact met mijn kinderen, bedoel ik. Vanwege het hotel zien en spreken we elkaar dagelijks,' peinsde Barend.

'Dat is iets wat ik ook graag zou willen,' zei Pamela.

'Laten we daar dan eens serieus over nadenken. De mogelijkheden zijn er, dat weet je.'

'Ik kan niet van jou verlangen dat je het hotel en je kinderen achterlaat.' Pamela nam nog een slokje van haar wijn. Ze keek hem niet aan, maar er verscheen een verdrietige trek op haar gezicht.

Barend nam haar handen in de zijne. 'Het gaat mij om jouw geluk,' zei hij zacht.

Nu richtte ze haar ogen wel op hem. 'Hier wonen zou mij erg gelukkig maken.'

'In dat geval hoef ik er niet langer over na te denken.' Hij bracht haar handen naar zijn mond en drukte er een tedere kus op. 'Dan doen we het gewoon.'

Plotseling begon hij hard te lachen, dwars door de muziek heen. Hij, brave Barend, die zijn hele leven keihard had gewerkt om zijn gezin te voeden en die het woord impulsief amper kon spellen, besloot in enkele seconden tijd om naar Australië te emigreren! Zomaar, simpelweg omdat het kon. Het was bizar, belachelijk en opwindend tegelijkertijd. In ieder geval voelde hij zich er goed bij, vooral bij het zien van Pamela's stralende ogen.

'Zullen we dansen?' stelde hij voor.

Pamela knikte en stond op. De band zette net een rustig nummer in en tevreden trok hij haar in zijn armen. Deinend op de muziek bedacht hij hoe ontzettend gelukkig hij was na al het verdriet dat achter hem lag.

Pamela legde haar hoofd op zijn schouder. Haar ogen fonkelden. Dat was makkelijker gegaan dan ze verwacht had.

Na een drukke werkdag stapte Lieke met een zucht van verlichting in haar auto. Ze hield van haar werk, maar het kostte haar de laatste tijd moeite om haar aandacht erbij te houden. Wrang genoeg begon het juist nu ineens te lopen. Jarenlang had ze het moeten doen met enkele losse opdrachten en daarnaast het werk voor het hotel, nu sleepte ze de ene na de andere opdracht binnen. Eindelijk was ze

123

met haar bedrijfje waar ze al jarenlang wilde wezen, alleen kon ze er niet echt van genieten in de gegeven omstandigheden. Somber staarde ze door de voorruit naar de gestaag vallende regen. Het zag er buiten uit zoals zij zich vanbinnen voelde. Donker en triest. De regen symboliseerde haar niet vergoten tranen. Het verdriet dat ze voelde was te groot voor tranen. Het leek wel of er een gat in haar hart zat. Een holle ruimte die nergens door opgevuld kon worden. David probeert dat overigens niet eens, dacht ze cynisch bij zichzelf. Ze wist niet wat hij precies met Leen had besproken, maar veel geholpen had het in ieder geval niet. Het enige wat ze eraan over had gehouden was een flinke ruzie, omdat hij haar verweet hun privéleven op tafel te gooien. Maar een ruzie meer of minder maakte in hun geval ook weinig meer uit.

Lieke was blij toen ze de auto voor hun huis kon parkeren. Rijden in de regen was geen hobby van haar. Officieel was de zomer begonnen, in de praktijk was daar echter weinig sprake van. Ze rilde in haar dunne jasje. Het was nota bene gewoon weer voor warme chocolademelk. Hè ja, dat ga ik voor mezelf maken, nam ze zich voor terwijl ze de korte afstand naar de huisdeur rennend aflegde om zo droog mogelijk over te komen. David was er toch niet, ze had heerlijk het rijk alleen vanavond. Ze besefte dat het een veeg teken was dat ze zo over haar echtgenoot en haar huwelijk dacht, maar daar wilde ze verder niet bij stilstaan. Tot haar verbazing zat de buitendeur niet op het nachtslot, wat betekende dat David toch thuis was of in ieder geval thuis was geweest. Stiekem hoopte ze het laatste. Ze trof hem echter in de huiskamer aan. Zoals steeds de laatste tijd met een glas voor zich en een broeierige blik in zijn ogen.

'O, hoi,' zei Lieke vlak. 'Ik dacht dat jij niet thuis zou zijn vanavond.'

'De plannen zijn veranderd. Voortaan ben ik vaker thuis. Veel vaker.' Hij lachte vreugdeloos.

Lieke haalde haar schouders op. Hij was blijkbaar al langer thuis, want hij had al aardig wat op, zo te horen. Ze hing haar jas aan de kapstok, ruimde haar tas op en trok haar schoenen uit, daarna liep ze naar de keuken om de chocolademelk klaar te maken die ze zichzelf beloofd had. David drentelde achter haar aan, zijn glas in zijn handen.

'Vraag je me niet wat ik met die woorden bedoel?' vroeg hij.

'Je zult wel dronken zijn en wartaal uitslaan,' zei Lieke cynisch. 'Ik heb het allang afgeleerd om jou te proberen te begrijpen.'

'Nee, dat is waar, veel begrip toon je niet,' meende David grimmig. 'Je gaat volledig je eigen gang.'

Ze keek hem koel aan. 'Ken je dat spreekwoord van de pot en de ketel? Denk daar maar eens over na.'

'Ik ben ontslagen.' Die woorden kwamen voor haar gevoel uit het niets. Het duurde even voordat Lieke de strekking ervan begreep, want deze mededeling had totaal niets te maken met wat zij had gezegd. Toen het tot haar doordrong keerde ze zich met een ruk naar hem om.

'Ontslagen?' echode ze. 'Hoe kan dat?'

'Bekijk het journaal maar eens. Overal vliegen werknemers er met bosjes uit. Ik ben vriendelijk bedankt voor de bewezen diensten en kan mijn spullen pakken. Er is me zachtjes verzocht op te hoepelen,' zei David hard.

'Maar... Dat kan toch niet zomaar?' zei Lieke ongelovig. 'Ze moeten toch op zijn minst een ontslagvergunning aanvragen en de procedures volgen.'

'Dat is al gebeurd. We zijn bijna failliet, de enige manier om het bedrijf nog te redden is een massaal ontslag. Niet bij de directie natuurlijk, de klappen vallen altijd lager.'

'Hoelang weet je dit al?'

'Een tijdje. Ik heb echter vandaag pas te horen gekregen dat ik bij de afvloeiers zit, zoals dat zo mooi heet. Ik kon ervoor kiezen om nog twee maanden aan te blijven, maar ik heb voor die eer bedankt. Ik ben meteen weggegaan.'

'Brengt dat je recht op een uitkering niet in gevaar?' De chocolademelk was vergeten. Lieke leunde verbijsterd tegen het aanrecht. Dit was de zoveelste klap in korte tijd, ze kon het even niet meer overzien.

'Wat kan mij dat schelen? Ik vertik het om ook nog maar iets voor dat bedrijf te doen,' antwoordde David kortaf. 'De manier waarop ze hun mensen behandelen is beneden alle peil. Dat heb ik ze overigens ook gezegd.' Hij zette zijn glas aan zijn lippen en dronk het in één teug leeg.

Lieke bekeek het met afkeer in haar ogen. 'Denk je dat ook in dit geval drinken een oplossing is?' vroeg ze met lage stem. 'Zoals je tegenwoordig alles letterlijk verdrinkt?'

'Zeik niet,' zei hij onparlementair.

'Je gebruikelijke commentaar,' gaf ze hatelijk terug. 'Zeg eens eerlijk: drink je omdat je ontslagen bent, of ben je ontslagen omdat je drinkt?'

Hij vloekte en smeet het glas op het aanrecht, waar het in duizend kleine stukjes uiteenviel. 'Dit kan ik er niet bij hebben, Lieke. Ik ben mijn baan kwijt, het minste wat ik mag verwachten is een beetje steun van mijn vrouw.'

'Zoals je mij gesteund hebt toen ik te horen kreeg dat ik in de overgang ben?' vroeg ze bitter. 'Kijk maar niet zo kwaad, je oogst gewoon wat je gezaaid hebt. Je bent er al maanden niet voor mij, je kunt niet verwachten dat ik je nu om je nek vlieg en je beklaag.'

'Ik heb geprobeerd onze wensen alsnog uit te laten komen. Ga me niet verwijten dat ik niet treurig in een hoekje ben gaan zitten, zoals jij hebt gedaan,' zei hij kwaad.

'Alsof ik daar de kans voor kreeg van jou. De diagnose was nog maar net gesteld of je sleepte me alweer mee naar de volgende arts. Heb je je ooit, ook maar één seconde, afgevraagd wat die uitslag voor mij betekende?'

'Hetzelfde als voor mij, neem ik aan. Over die pot en die ketel gesproken,' zei hij hatelijk. 'De klap is bij mij net zo hard aangekomen, Lieke. Dat het jouw lichaam betreft wil niet zeggen dat ik er makkelijker overheen stap. Integendeel juist. Ik wilde dat het probleem bij mij lag.'

'Dat ligt het dus niet,' zei ze kort. 'Het gaat overigens niet alleen om het niet kunnen krijgen van kinderen. Mijn lichaam laat me in de steek en dat is moeilijk te accepteren. Ik ben nog geen dertig, maar krijg te maken met ouderdomskwaaltjes. Vanwege die overgang loop ik extra risico op hart- en vaatziektes, op botontkalking en op suikerziekte. Weet je hoe belastend die wetenschap is? Dus hou alsjeblieft op met praten over elkaar steunen, want je hebt geen flauw benul hoe dat moet.'

'Had het geholpen als ik mee was gaan jammeren?'

'Een beetje medeleven en inlevingsvermogen was in ieder geval niet weg geweest.'

David lachte spottend. 'Inlevingsvermogen, zeg je? Daar had je een paar jaar eerder mee moeten komen. Ik heb je jarenlang gevraagd om met de pil te stoppen, waar was jouw inlevingsvermogen toen? Er werd me herhaaldelijk verteld dat ik niet moest zeuren omdat je er nog niet aan toe was om een gezin te stichten. Je werk was belangrijker, wat ik wilde telde niet mee. Je hebt het recht helemaal niet om nu zielig te doen. Je kunt je nu volledig op je werk storten, je hebt je zin gekregen.'

Lieke trok bleek weg bij deze beschuldigingen. Ze balde haar handen tot vuisten en moest zich beheersen om hem niet aan te vliegen.

'Je gaat te ver,' waarschuwde ze hem met hese stem. 'Veel te ver.'

'Jij hebt tenminste nog werk om je op te storten,' ging hij verder alsof ze niets gezegd had. Hij staarde naar een onbestemd punt op de muur. 'Ik heb helemaal niets meer. Geen kinderen en geen baan.'

'En geen huwelijk meer, als je zo doorgaat. Je kunt mij niet wijsmaken dat je drankprobleem los staat van je ontslag, en als je nog langer doorgaat met drinken, raak je mij ook kwijt.'

David keek haar verwijtend aan. 'Wat ben jij hard.' In weerwil van haar woorden pakte hij een nieuw glas, dat hij tot de rand vulde met whisky.

Lieke voelde een golf van misselijkheid opkomen. Alles in haar kwam hiertegen in opstand. 'Ik waarschuw je,' zei ze moeizaam. 'Als je dit glas leegdrinkt, ben ik weg. Voorgoed. Ik weiger samen te leven met een alcoholist die liever dronken wordt dan zijn problemen onder ogen ziet. Zet dat glas weg, dan kunnen we kijken of er nog een uitweg is voor ons samen.'

Tergend langzaam pakte hij het glas op. In angstige spanning wachtte ze af wat hij ermee ging doen, al vertelde de uitdagende blik in zijn ogen haar eigenlijk al wat ze moest weten. Ze sloot haar ogen toen hij het glas aan zijn lippen zette. Dit was het dan. Het einde van een huwelijk waarvan ze had gedacht dat het eeuwig zou duren.

HOOFDSTUK 14

'Kan ik een tijdje hier logeren?'
Noortje wierp één blik op de verregende Lieke met de grote weekendtas in haar handen en opende meteen wijd haar deur. 'Kom binnen.'
'Dank je.'
Eenmaal in de warme huiskamer begon Lieke te rillen. In haar haast om thuis weg te komen had ze niet eens een jas aangetrokken. Als in een roes had ze wat noodzakelijke spullen in een tas gegooid, waarna ze de deur uit was gelopen. David had niet eens geprobeerd haar tegen te houden. Noortje overhandigde haar zwijgend een vest voor ze naar de keuken liep om koffie te zetten. Praten deden ze zo wel, Lieke moest nu eerst even bijkomen. Ze warmde meteen een blik soep op, want ze ging er, vanwege het tijdstip, van uit dat Lieke ook nog niet gegeten had.
Even later kwam ze met alles op een dienblad binnen. In eerste instantie weigerde Lieke de soep, maar nadat ze eenmaal op aandringen van Noortje een hap had genomen, merkte ze dat ze honger had. Gulzig at ze de kom leeg, waarna ze achteroverleunde. 'Waar is Leen?'
'In het hotel. Er waren problemen.'
'Goh, daar ook al?' Het klonk cynisch.
'Wil je vertellen wat er precies is gebeurd?' vroeg Noortje zacht.
'Het is geëscaleerd tussen ons. En niet zo weinig ook. Het is over, Noor. Ik ben bij David weg.'
Noortje liet niet merken dat ze schrok van deze boute mededeling. Natuurlijk wist ze dat het niet lekker liep bij haar zus en zwager, maar dit klonk wel erg serieus. 'Je kunt hier blijven zolang je wilt,' zei ze daarom zonder op de opmerking in te gaan.
'Het zal niet voor lang zijn. Ik ga zo snel mogelijk op zoek naar woonruimte. In de vrije sector is genoeg te huur en anders koop ik iets. Dat is dan weer het voordeel van geld hebben,' zei Lieke bitter.
'Dus je meent het echt?' vroeg Noortje nu toch. 'Het is niet

zomaar een ruzie die uitgesproken kan worden nadat jullie een paar dagen afstand van elkaar hebben genomen?'

Lieke schudde haar hoofd. 'Hij heeft liever zijn drank dan mij, dat heeft hij me net op een zeer pijnlijke manier duidelijk gemaakt.' Ze vertelde nu precies wat er allemaal gezegd en gebeurd was tussen David en haar. 'De maat is vol,' besloot ze. 'Hier kan ik niet mee leven.'

'Ik kan je geen ongelijk geven,' gaf Noortje toe. 'Maar erg is het wel. Verdorie, Liek, jullie waren zo gelukkig samen.'

'Met de nadruk op waren. Het is al een behoorlijke tijd geleden dat ik echt gelukkig was in zijn gezelschap. Vanaf de dag dat ik die uitslag kreeg, om precies te zijn. Daarna is het in sneltreinvaart bergafwaarts gegaan. Het ligt heus niet alleen aan hem, ik ben zelf ook niet bepaald op mijn best sinds die dag, maar zijn drinkgedrag doet ons de das om.' Met een triest gebaar haalde ze haar schouders op. 'Wat hij vanavond deed, was de druppel. Mijn begrip kent zijn grenzen.'

'En nu? Wat ga je nu doen?' vroeg Noortje na een korte stilte.

'Gewoon door blijven ademen, morgen werken, een flat zoeken, mijn leven proberen opnieuw op te bouwen,' somde Lieke op.

'Werken? Ik zou maar een tijdje thuisblijven als ik jou was. Even alles laten bezinken voordat je straks ook nog een burn-out te pakken hebt,' adviseerde Noortje.

Weer schudde Lieke haar hoofd. 'Dat wil ik niet.'

'Een beetje rust zou je geen kwaad doen.'

'Ik zit vervroegd in de overgang, ik zal nooit moeder worden, mijn man is alcoholist aan het worden en ik lig in scheiding. Als ik thuis ga zitten, heb ik niets anders omhanden dan daarover te piekeren, en dat is de snelste manier om helemaal door te draaien,' meende Lieke beslist. Ze stond op. 'Mag ik naar bed? Ik ben doodmoe.'

'Je weet de logeerkamer te vinden. Roep me als je iets nodig hebt.'

'Dank je. Sorry dat ik niet gezelliger ben.'

'Zeg, doe even normaal,' schoot Noortje verontwaardigd uit haar slof. 'Dat verwacht ik echt niet van je, hoor. Je bent niet zomaar een logee die zijn best moet doen zich te gedragen. Beschouw dit maar als je huis en doe wat je zelf wilt.'

In de logeerkamer liet Lieke zich op het bed zakken, met haar hoofd in haar handen. Ze kon nog steeds niet huilen. Met een onwerkelijk gevoel keek ze om zich heen in de vreemde kamer. Ze had al eerder gedacht dat haar leven ingestort was, maar nu was de puinhoop pas echt compleet. Davids handelen eerder die avond had haar zo ontzettend veel pijn gedaan dat ze gewoonweg verdoofd was. Hier was niets meer aan te redden, daar was ze van overtuigd. Hoe hij wellicht ook zijn best zou gaan doen om haar terug te krijgen, voor haar was het een afgesloten hoofdstuk. Er was te veel kapotgemaakt.

Automatisch begon ze haar spullen uit de tas te pakken om ze op te bergen in de kast. Met haar hersens was ze al druk bezig een plan voor de toekomst te bedenken, want als ze stilstond bij het verleden of het heden, werd ze gek. Ze moest een doel voor ogen houden en daarnaartoe werken.

Allereerst woonruimte zoeken, dat stond boven aan haar prioriteitenlijstje. Ze wist dat ze hier bij Leen en Noortje welkom was, maar daar wilde ze zo min mogelijk gebruik van maken. Ze voelde zich hier niet thuis. Met haar bollende buik herinnerde Noortje haar te veel aan alles wat ze zelf miste. Bovendien voelde ze zich ineens jaren ouder dan haar tweelingzus. Ze paste niet meer bij leeftijdsgenoten met hun eigen specifieke problemen. Ze deelden niet langer dezelfde ervaringen. Zij was met een klap in een heel andere levensfase gegooid, alleen paste ze ook nog niet bij de vrouwen die daar in zaten. Ze had het hele middenstuk van haar leven voor haar gevoel overgeslagen en doolde nu tussen die twee werelden rond. Met haar geest was ze nog steeds een twintiger in de bloei van haar leven, haar lichaam was haar echter jaren vooruit. Op dat vlak was ze middelbaar. Op de een of andere manier moest ze daarmee om leren gaan. In haar eentje, dat was inmiddels wel duidelijk.

'Ze is warm. Volgens mij krijgt ze weer koorts.' Anneke voelde met een bedenkelijk gezicht aan Charity's voorhoofd. 'Dat is de zoveelste keer al. Ze is echt aan het kwakkelen de laatste tijd.'

'Misschien moeten we haar wat extra vitamines geven,' bedacht Sjoerd. Hij woelde met zijn hand door de haartjes van zijn oudste dochter. 'Hé krullenbol, wat is dat toch steeds met jou? Je gaat toch niet weer ziek worden?'

'Ik heb pijn in mijn oor,' klaagde Charity. Ze kroop tegen Anneke aan.

'Ik hou haar vandaag thuis,' besloot die.

'Zal de school niet leuk vinden. Ze verzuimt momenteel meer dan dat ze aanwezig is,' zei Sjoerd.

'Dat is dan jammer voor de school,' verklaarde Anneke kort. 'Juist daar loopt ze steeds van alles op. De dokter zei ook al dat haar weerstand vrij laag is, dus ze is erg vatbaar. Er hoeft er maar één een griepje te hebben en zij pakt dat op.'

'Hij zei ook dat ze er vanzelf overheen groeit. Veel kinderen hebben hier last van, het hoort erbij.'

'Nou, ik ben blij dat Damian wat sterker is.' Anneke keek toe hoe Sjoerd zijn spullen voor die dag pakte. 'Neem jij Marja mee naar de crèche? Dan heb ik alle tijd voor Charity.'

'Is goed. Noortje zal dat geen probleem vinden, ook al is het niet haar dag.' Hij tilde Marja hoog boven zijn hoofd, wat het kind deed gillen van plezier.

Charity sloeg haar handen voor haar oortjes en begon te huilen.

'Sst,' vermaande Anneke haar jongste dan ook.

Sjoerd grinnikte. 'Het is voor Charity inderdaad beter als Marja even uit de buurt is, die druktemaakster. Zij maakt in haar eentje meer herrie dan de tweeling samen deed op die leeftijd. En wij maar denken dat één kind een stuk rustiger zou zijn.'

'Voor rust moet je niet hier in huis zijn. Daarom ben ik er niet zo rouwig om dat mijn vermoedens omtrent een nieuwe zwangerschap loos alarm bleken te zijn,' zei Anneke.

'Had je het niet leuk gevonden dan?' vroeg Sjoerd voorzichtig. Na een eerdere zwangerschap van Anneke die ze absoluut niet had gewild, was dit een precair onderwerp tussen hen. Anneke had destijds een abortus overwogen, wat bijna tot een breuk tussen haar en Sjoerd had geleid. Dat het uiteindelijk een miskraam werd had de zaken er niet beter op gemaakt, want het schuldgevoel dat Anneke meetorste was enorm.

'Liever niet,' zei ze ondanks dat toch eerlijk. 'We moeten eens gaan praten over een permanente oplossing, Sjoerd. Ons gezin is nu wel compleet.'

'Dan is het nu zeker mijn beurt om ervoor te zorgen dat er geen kinderen meer komen?' Hij keek haar met een scheef lachje aan.

'Dat was wel de afspraak.'

'Kunnen we het daar een andere keer over hebben? Ik moet echt weg nu. Kom Marja, pak je schoentjes en je jas.'

Annekes lippen knepen zich samen tot een smalle streep. Het was niet de eerste keer dat dit ter sprake kwam en ze kreeg het gevoel dat Sjoerd zich er met een smoesje vanaf wilde maken. Vanavond komt hij er echt niet onderuit, dan wil ik er een serieus gesprek over, nam ze zich voor. Nu had ze even iets anders aan haar hoofd. Ze tilde Charity op en legde het lusteloze kind met een kussen en een dekbed op de bank in de huiskamer. Ze werd steeds warmer, ontdekte ze. Straks maar weer een paracetamol geven.

Sjoerd had intussen alles bij elkaar, inclusief een aange-klede Marja. Hij kuste Anneke en Damian gedag en aaide Charity over haar hoofdje.

Snel reed hij naar het hotel. Hij was laat vandaag, zag hij op zijn dashboardklok. Nou ja, jammer dan. Het was niet zijn gewoonte, maar soms gebeurde dat nu eenmaal. Froukje zag hem vanuit haar kapsalon naar de crèche lopen. 'Je bent laat,' zei ze.

'Jij bent vervelend,' weerlegde Sjoerd kort terwijl hij stug doorliep. Hij begon een beetje genoeg te krijgen van Frouk-jes fanatisme.

Nadat hij Marja bij Noortje had afgeleverd, ging hij hard aan het werk. Hij voelde zich echter vreemd onrustig en kon zijn aandacht er niet echt bij houden.

Om tien uur belde hij naar huis. Anneke berichtte hem dat Charity ruim negenendertig graden koorts had en nog steeds over oorpijn klaagde. 'Ik wilde net de dokter bellen,' zei ze.

'Bel me dan meteen terug zodra je iets weet,' verzocht Sjoerd. Een kwartier later ging zijn telefoon over. De dokter zou na zijn spreekuur langskomen, hoorde hij. Gezien de klachten dacht hij aan een oorontsteking, die met een antibioticakuur behandeld kon worden. Sjoerd hoopte dat van harte. Charity had er meelijwekkend ziek uitgezien die ochtend, iets waar hij slecht tegen kon.

Om halftwaalf had hij er genoeg van. Wat zat hij eigenlijk zijn tijd te verdoen op zijn werk terwijl zijn gezin hem nodig had? Hij ging naar huis. Leen was het direct met hem eens. 'Ik laat Gerda de winkel wel overnemen,' beloofde hij.

De dokter was net weg toen Sjoerd thuis arriveerde. Hij had inderdaad een oorontsteking geconstateerd. Met de voorgeschreven kuur verwachtte hij dat ze snel op zou knappen.

Die middag werd de koorts echter alleen maar hoger. 's Avonds had Charity een temperatuur van iets meer dan veertig graden. De dokter van de avondpost vond dit niet alarmerend. 'Geef haar maar een extra zetpil,' adviseerde hij telefonisch.

Van een gesprek over een stop op de uitbreiding van hun gezin kwam die avond niets meer. Charity eiste al hun aandacht op. De volgende ochtend was haar temperatuur nog hoger. Ze begon te huilen toen Sjoerd het licht in haar kamertje aandeed.

'Uit papa, het moet uit,' snikte ze.

'Dit is niet goed,' meende Anneke ongerust. 'Dit is geen normale oorontsteking, Sjoerd. Dat hebben ze allebei vaker gehad, maar zo erg is het nog nooit geweest.'

Sjoerd draaide het nummer van hun huisarts, maar kreeg slechts het bandje te horen dat meldde dat de praktijk vanaf acht uur bereikbaar was. Het was op dat moment halfzeven. De dokterspost gaf hetzelfde advies als de avond ervoor. 'Bel straks uw eigen huisarts maar als u het niet vertrouwt,' zei een vervelede stem.

Sjoerd vloekte terwijl hij de telefoon op tafel gooide. 'Pak een deken, ik ga met haar naar de spoedeisende hulp van het ziekenhuis,' zei hij grimmig tegen Anneke. 'Ik vertrouw dit niet en ik ga niet zitten wachten tot onze eigen dokter er is.'

'Is dat niet een beetje overdreven?' vroeg Anneke nog aarzelend.

'Ze kunnen ons hooguit terugsturen, maar ik neem geen enkel risico,' verklaarde hij kort. Met stijgende ongerustheid keek hij naar Charity, die weer in een onrustige slaap was gevallen. Haar wangen waren vuurrood en ze transpireerde. Haar haartjes zaten aan haar voorhoofd vastgeplakt. Het klopte niet, dat voelde hij instinctief aan.

Na een korte stop bij het huis van Noortje en Leen, om Damian en Marja bij hen af te leveren, arriveerden ze in het ziekenhuis. De dienstdoende kinderarts nam Charity meteen mee voor een uitgebreid onderzoek. Hij nam de klachten gelukkig wel serieus. Er werd direct bloed afgenomen om het volledige bloedbeeld te bepalen en de uitslagen daarvan waren niet echt gunstig.

'We denken aan een hersenvliesontsteking,' zei de arts, dokter Vermeer, ernstig na het eerste onderzoek.

Anneke sloeg geschrokken haar hand voor haar mond. 'Het was een oorontsteking,' stamelde ze. 'Dit kan toch niet?'

'Daar kan het mee beginnen,' legde de arts uit. 'De pneumokokkenbacterie veroorzaakt vaak oor- of longontsteking, maar kan ook leiden tot meningitis. Zeker als er sprake is van een verminderde weerstand.'

'Die heeft ze,' knikte Sjoerd. 'Ze is al maanden steeds verkouden en grieperig.'

'We gaan een ruggenmergpunctie uitvoeren,' besloot Vermeer. 'Die wordt op kweek gezet, dan hebben we zekerheid. Alle symptomen wijzen er echter op.'

'Hoe gevaarlijk is het?' vroeg Anneke ineens. Ze kneep Sjoerds hand haast fijn bij deze vraag. 'Ik bedoel... Kan ze...?' Ze durfde het woord niet eens uit te spreken. Met een angstige blik keek ze de dokter aan.

'Jullie zijn er vroeg bij, dat scheelt enorm,' zei hij, een rechtstreeks antwoord ontwijkend. 'Het is goed dat jullie gekomen zijn. Garanties kan ik nooit geven, maar ik heb goede hoop voor Charity. We leggen haar direct aan een infuus met een breed spectrum antibiotica. De eerste vierentwintig uur zijn meestal kritiek.'

Anneke begon te huilen. Met een onbeholpen gebaar sloeg Sjoerd zijn arm om haar schouders. 'Misschien valt het mee,' probeerde hij haar te troosten. Zijn hart voelde echter loodzwaar aan in zijn borstkas. Ook hij kende de berichten over hersenvliesontsteking die regelmatig in de media opdoken en die stelden hem niet gerust. Hij durfde niet eens te denken aan alles wat er kon gebeuren.

De punctie ging gelukkig vrij snel. Charity was zo verward en slaperig dat ze het amper merkte, al begon ze even hard te huilen op het moment dat de naald zich in haar rug boorde. Het vocht dat de arts eruit tapte zag er troebel uit. Sjoerd had geen idee of dat gunstig was of niet, tot hij de veelbetekenende blik tussen de arts en de verpleegkundige opving.

'Hoort dat er zo uit te zien?' vroeg hij meteen.

'Nee,' antwoordde de arts na een korte aarzeling. 'Troebel hersenvocht duidt op een infectie. Hier kunnen we echter niet aan aflezen hoe ernstig het is, dat zal de kweek uit moeten wijzen. Laten we hopen dat de antibiotica ondertussen hun werk doen.'

Ze konden verder niets anders doen dan machteloos afwachten hoe het zich zou ontwikkelen, hoe zwaar dat hen ook viel. De hele dag bleven ze aan het bed van Charity zitten. Sjoerd liep alleen even de gang op om zijn familie te bellen. Noortje hoorde hem ontzet aan. 'Maak je in ieder geval geen zorgen om Damian en Marja,' zei ze in een poging hem iets op te beuren. 'Die blijven gewoon hier. Leen heeft Damian naar school gebracht, Marja is bij mij op de crèche. Niet wanhopen, Sjoerd. Charity is sterk, ze komt er wel doorheen.'

'Was ik daar zelf ook maar van overtuigd,' zei hij somber. Hij sloot zijn ogen en leunde tegen de muur van de gang. Zelfs met zijn ogen dicht kon hij het beeld van de doodzieke Charity niet van zijn netvlies krijgen. 'Ze is zo ziek, Noor.'

'Ze is sterk,' zei Noortje nogmaals.

'Dat is nou juist het probleem, dat is ze niet,' viel Sjoerd uit. 'Haar afweersysteem is zwak, daarom heeft ze dit ook opgelopen. Er is een reële kans dat ze... dat ze...' Zijn stem brak.

'Probeer daar alsjeblieft niet aan te denken,' zei Noortje zacht. 'Ik weet dat ik makkelijk praten heb, maar jullie moeten positief blijven. Charity voelt dat aan, daar ben ik van overtuigd.'

'Ik doe mijn best,' bracht hij met moeite uit. De wanhoop klonk echter duidelijk door in zijn stem.

Met het onbevredigende gevoel dat ze niets had kunnen zeggen wat hem hielp, verbrak Noortje de verbinding. De hele familie reageerde geschokt op het nieuws. Noortje had ze bij elkaar geroepen en op hun vaste plekje achter het zwembad werd er druk over gepraat.

Damian en Marja bleven voorlopig bij Noortje, dat was al snel besloten. Dat kan er ook nog wel bij, dacht Noortje met wrange humor bij zichzelf. Ze wilde zo snel mogelijk stoppen met haar werk om zich op haar zwangerschap te richten, in plaats daarvan werd haar huis nu bevolkt door haar tweelingzus, haar neef en haar nichtje. Enfin, dat was nu niet het belangrijkste. Als Charity dit maar overleefde, om dat te bereiken wilde ze met liefde haar huis delen met wie dan ook.

'Moeten we pa niet inlichten?' vroeg Lieke ineens.

Het viel even stil binnen de groep. Niemand wist daar meteen een antwoord op te geven.

'Ik zou daar even mee wachten,' gaf Leen zijn mening. 'De eerste vierentwintig uur zijn kritiek, zei Sjoerd. In het ergste geval kan pa dus toch niet op tijd terug zijn. Het heeft niet veel nut om hem ongerust te maken terwijl hij toch niets kan doen. Hij zit zo ver weg.'

'Niet alleen letterlijk, maar ook figuurlijk,' zei Froukje schamper. 'Wat weet hij nou nog van onze levens? Hij is alleen maar bezig met dat van hemzelf en zijn geliefde Pamela.'

Ze keken elkaar allemaal wat ongemakkelijk aan. Froukje had onder woorden gebracht wat ze stuk voor stuk dachten. Niemand was ervan overtuigd dat Barend meteen het vliegtuig terug zou pakken om bij zijn gezin te zijn, zelfs niet onder deze omstandigheden. Ze misten hem op dat moment meer dan ooit.

'Laten we eerst maar even afwachten hoe de zaken zich ontwikkelen,' besloot Noortje. 'Morgen weten we meer.'

'Ik zal in ieder geval het rooster zo opstellen dat we in geval van nood allemaal weg kunnen,' zei Leen. 'Paul kan gelukkig al veel overnemen als het moet. Samen met Gerda kan hij eventueel de boel laten draaien. De winkel en de kapsalon kunnen desnoods gesloten worden.'

'Wie staat er nu in de winkel?' wilde Lieke weten.

'Gerda,' antwoordde Froukje in Leens plaats. 'Maar als wij weg moeten, kan ze de receptie overnemen, en dan is Paul vrij om in te springen waar dat nodig is. Er moet toch iemand zijn die eventuele problemen voor de gasten meteen op kan lossen.'

'Dank je voor deze uitleg,' zei Leen ironisch. 'Oké mensen, laten we er maar het beste van hopen en gewoon aan het werk gaan. Dat leidt tenminste af. Noortje is het aanspreek-punt voor Sjoerd en Anneke, zodra zij iets hoort, stelt ze ons meteen op de hoogte.'

Bedrukt gingen ze weer naar binnen. Ze hadden hun aan-dacht nog nooit zo slecht bij hun werkzaamheden kunnen houden als die dag. Alle gedachten gingen uit naar hun klei-ne nichtje, die nu in het ziekenhuis lag te vechten voor haar leven.

HOOFDSTUK 15

Er braken angstige uren aan voor de familie Nieuwkerk. In eerste instantie liep de koorts van Charity nog verder op, daarna begon het gelukkig langzaam te zakken. De antibiotica die via een infuus haar lijfje in druppelden deden hun werk naar behoren, constateerde dokter Vermeer tevreden. 'Al zijn we er nog lang niet,' vond hij het nodig om te waarschuwen.

Sjoerd en Anneke brachten bijna hele dagen in het ziekenhuis door. Om de beurt gingen ze even naar Noortje om tijd met Damian en Marja door te brengen. Zodra Charity wat opknapte, verdeelden ze die taken. Ze wilden niet dat ze, ziek als ze was, alleen zou liggen, dus was voortdurend een van haar ouders bij haar terwijl de ander thuis de taken overnam. Werken stond voorlopig even op het tweede plan, iets waar de hele familie begrip voor had, maar wat wel de nodige problemen in het hotel gaf.

'Er moet een oplossing komen,' gaf Froukje tijdens een van hun vergaderingen aan. 'De winkel is nu te vaak gesloten, dat kan niet. Gerda doet haar best, maar ze kan niet op verschillende plekken tegelijk zijn.'

'Een uitzendkracht?' stelde Mark voor.

'Liever niet,' zei Leen. 'Daar heb ik niet zulke goede ervaringen mee. Ik los het liever intern op.'

'Maar hoe?' kwam Froukje weer. 'Het gaat niet alleen om de winkel, dat weten jullie net zo goed als ik. De website moet nodig bijgewerkt worden.'

'Dat wil Paul wel doen,' wist Leen.

'Dat betekent dat Gerda de receptie moet draaien, dan is de winkel dus alweer dicht.'

'Pa komt volgende week terug,' merkte Lieke op.

Froukje snoof. 'Hoeveel verwacht jij daarvan? Pamela geeft hem echt de kans niet om te werken. Die is veel te veel gesteld op haar luxeleventje.'

'Sjoerd en Anneke blijven niet eeuwig weg, die paar weken moet het maar even zo. Ik maak een nieuw rooster met aangepaste openingstijden voor de winkel, die we duidelijk op de deur aan zullen geven. Het is tenslotte ook niet zo dat de winkel de hele dag druk bezocht wordt door de gasten,' besliste Leen. 'Laten we verdergaan met het volgende agendapunt. Jullie weten dat Noortje wil stoppen met werken. Ik heb met ingang van aanstaande maandag een vervangster voor haar aangenomen. Cindy Lustig. Ze is achtentwintig, heeft alle benodigde papieren om een crèche te leiden en de nodige ervaring. Het kinderdagverblijf waar ze werkte is twee maanden geleden gesloten, vandaar dat ze op korte termijn beschikbaar is. Noortje blijft er de eerste week nog bij om haar in te werken.'

'Dan kun jij dus vanaf volgende week de winkel overnemen,' bedacht Froukje, wijzend naar Noortje. 'Een prima oplossing.'

'Dat dacht ik niet. Ik stop met werken, dat weet je. Als ik had willen blijven, was dat gewoon op mijn eigen afdeling geweest,' weerde die dat af.

'Het is maar voor een paar weken, tot Sjoerd en Anneke terug zijn.'

Noortje schudde haar hoofd. 'Dat zie ik helemaal niet zitten. Ik wil niet voor niets stoppen.'

'Maar dit is overmacht. Je hebt zelf aangegeven dat je beschikbaar bent om in te vallen als dat nodig mocht zijn,' hield Froukje vol.

'Zo nodig is het niet. Het is net wat Leen al zei, die winkel staat niet voortdurend vol klanten. Als hij 's morgens en 's middags een uurtje open is, is dat voldoende.'

'Lekkere instelling,' mopperde Froukje verder. 'Die gewijzigde openingstijden zijn een noodoplossing, maar het getuigt niet van veel service naar onze klanten toe. Als het even kan, moeten we het zien te voorkomen.'

'Niet door mij. Ik heb het echt even gehad met alles hier,' zei Noortje afwerend. 'De verloskundige heeft me aangeraden meer rust te nemen en dat vind ik belangrijker dan de souvenirwinkel. Vergeet niet dat ik thuis ook de nodige drukte heb met Damian en Marja. Dat is behoorlijk zwaar.'

'Dat houden we dus zoals afgesproken,' kwam Leen tussenbeide. 'Volgende punt.'

Froukje zat er de rest van de vergadering mokkend bij.

Langzaam maar zeker zag ze het familiebolwerk in elkaar storten, iets wat ze met man en macht probeerde te voorkomen. Ze begreep het niet. Ze waren met zo veel enthousiasme en gedrevenheid aan dit hotel begonnen en nu haakte de een na de ander af. Dat Sjoerd momenteel veel tijd aan het bed van zijn dochter doorbracht was logisch, maar hij deed net of het hotel helemaal niet meer bestond. Ze had hem vanmiddag gebeld om te vragen of hij de website bij wilde werken en dat was uitgedraaid op ruzie. Het was wel duidelijk dat zijn werk hem op dat moment gestolen kon worden. En dat midden in de zomer, terwijl ze helemaal volgeboekt waren.

Paul was gelukkig wel bereid extra werk op zijn schouders te nemen, maar dat was anders. Hij was geen familie. Als werknemer deed hij het uitstekend, maar hij had nu eenmaal niet de affiniteit met het hotel die de familie Nieuwkerk had, meende Froukje. Hoewel, de betrokkenheid van haar familieleden liet tegenwoordig ook te wensen over. Barend had het hotel zonder meer de rug toegekeerd, Noortje had genoeg van haar werk en het was nog maar de vraag of Sjoerd en Anneke op korte termijn terug zouden komen. Daarbij had Lieke het zo druk met haar eigen bedrijfje dat ze ook niet meer beschikbaar was om in te springen waar dat nodig was, iets wat in het verleden regelmatig voor was gekomen. Zij, Froukje, was de enige van de oorspronkelijke groep die zich nog volledig voor het hotel inzette. Dankzij hun personeelsleden liep het hotel prima, toch was het anders op deze manier. De ziel was er volgens haar een beetje uit. Het hotel was destijds tenslotte niet in hoofdzaak opgezet als zakelijk project, maar vooral om de familiebanden aan te halen. Het gezamenlijke doel verstevigde de band onderling, precies zoals haar bedoeling was geweest. Diezelfde band leek nu weer stukje bij beetje af te brokkelen en dat zag ze met lede ogen aan.

Om kwart voor tien sloot Leen de vergadering af. Froukje had niet veel meer meegekregen van het laatste gedeelte, moest ze eerlijk toegeven. Lauw stak ze haar hand op ten afscheid toen Leen, Noortje en Lieke in de auto stapten. 'Wat sta je te dromen?' vroeg Mark achter haar. Hij snoof diep de zoele buitenlucht op. 'Wat is het heerlijk vanavond. Zullen we naar huis lopen?'

'Goed plan,' stemde Froukje toe. Voor de vergadering die avond waren ze met haar auto gekomen. Morgenochtend kon ze dan met Mark meerijden, bedacht ze. Het was inderdaad heerlijk zacht, zo'n avond als maar zelden voorkomt. Het terras was nog steeds bevolkt met gasten, de serveersters liepen af en aan om ze van de nodige drankjes te voorzien.

Met de armen om elkaar heen geslagen liepen Froukje en Mark langzaam richting huis, een wandeling van ongeveer drie kwartier.

'Het ging lekker vlot vanavond,' zei Mark tevreden nadat ze een tijdje zwijgend hadden genoten van de wandeling, de avondlucht en elkaars gezelschap. 'Wat vind jij van dat voorstel van Leen om de openingstijden van de bar te verruimen? Ik heb je er helemaal niet over gehoord.'

'Dat is even aan me voorbijgegaan,' bekende Froukje.

'Zoiets dacht ik al. Het is niets voor jou om geen commentaar te geven.' Hij grinnikte. Daarna werd hij serieus. 'Ik hoop dat ik nu wel alle aandacht van je krijg, want ik wil graag iets met je bespreken.'

'Iets vervelends?' vroeg Froukje ongerust.

'Dat ligt eraan hoe je het bekijkt. Voor mij in ieder geval niet.'

'Voor iemand anders dus wel,' begreep ze. 'Voor wie? Voor mij?'

'Luister nu eerst even rustig,' verzocht Mark. 'Het gaat me in eerste instantie vooral om jouw advies. Ik heb nog niets definitief besloten.'

Een angstig vermoeden steeg in haar op. Dit kon bijna niet anders dan over zijn plannen voor een eigen restaurant gaan, een onderwerp dat al vaker onenigheid tussen hen had gegeven. De laatste keer had Mark beloofd er niet op terug te komen totdat het concreet zou zijn. Iets wat nog jaren op zich zou laten wachten, had Froukje toen gedacht.

Langzaam trok ze haar arm los uit de zijne, er verscheen een stuurse uitdrukking op haar gezicht. 'Wil ik het wel horen?' vroeg ze.

'Ik ga het je in ieder geval vertellen. Gisteren ben ik benaderd door Amand, een oude vriend van me met wie ik samen de koksopleiding heb gedaan. Via Hyves hebben we nog regelmatig contact met elkaar, nu belde hij me op. Hij kan een restaurant overnemen van een familielid van hem. De voorwaarden zijn uiterst gunstig, maar hij wil het liever niet in zijn eentje doen.'

'Jij bent niet beschikbaar,' viel Froukje hem in de rede. 'Dat moet hij toch zelf ook wel snappen.'

Marks ogen werden donker. 'Ik vraag je niet om toestemming, ik wil je advies. Jij hebt kijk op dat soort dingen. Ik wilde je vragen of jij de boeken en het contract eens door wilt lezen om te kijken of er geen addertjes onder het gras zitten. De voorwaarden zijn namelijk zo gunstig dat ik me afvraag of dat wel klopt. Als iets te mooi lijkt om waar te zijn, dan is dat meestal ook zo. Gezien je reactie kan ik het echter beter aan iemand anders vragen, want ik geloof niet dat jouw oordeel echt objectief is.'

'We hebben het hier vaker over gehad, je weet hoe ik erover denk. Ik ben niet van plan het hotel te verlaten.'

'In dit geval hoeft dat ook niet, want dan wordt Amand mijn zakelijke partner,' legde Mark uit. 'Ik zou jou nooit vragen het hotel te verlaten, maar een eigen zaak in je eentje beginnen is een hele onderneming. Het is prettiger als je steun aan elkaar hebt.'

'De laatste keer dat we het hierover hadden, zei je dat er nog in geen jaren sprake van zou zijn,' hielp Froukje hem herinneren.

'Van een eigen zaak. Dit komt nu echter via Amand op mijn pad en ik wil er niet bij voorbaat nee tegen zeggen. Zo'n kans laat je niet zomaar schieten omdat het toevallig wat eerder voorbijkomt dan je verwacht had.'

Ongemerkt waren ze steeds sneller gaan lopen en ze bereikten nu de inrit van hun huis. Froukjes huis, zij had het gekocht voordat ze Mark leerde kennen en hij was later bij haar ingetrokken. Omdat hij niet van haar kapitaal wilde profiteren, stond het huis alleen op haar naam. Met een driftig gebaar opende ze de deur. 'Je begrijpt toch zelf ook wel dat het tijdstip bijzonder slecht gekozen is?' ging ze binnen op het onderwerp verder. 'Is er soms een complot gaande of zo? Iedereen vertrekt. Pa, Noortje, Sjoerd en Anneke zijn voorlopig uit de roulatie. Een eventueel vertrek van jou kan ik er nu echt niet bij hebben.'

'Er zijn meer koks op de wereld,' weerlegde Mark dat kalm.

'Die zijn geen familie. De receptie wordt al bemand door een vreemde, de leiding van de crèche wordt overgenomen door een buitenstaander, alles valt weg. Jij kunt nu niet opzeggen, Mark.'

'Ik ga me er in ieder geval eerst goed in verdiepen voor ik een toezegging doe.'

'Jij gaat helemaal niets!' schreeuwde Froukje nu. 'Als alles in het hotel weer een beetje normaal verloopt en Sjoerd en Anneke terug zijn, kunnen we er verder over praten, maar niet nu.'

'Tegen die tijd heeft Amand allang een andere partner gevonden en vis ik achter het net.'

'Dat is dan jammer,' snauwde Froukje. 'Op dit moment komt het niet uit, dat heb je maar te begrijpen.' Ze gooide haar tas op de grond en schopte haar schoenen uit. Dit was de druppel. Voor haar ogen zag ze alles waar ze enkele jaren geleden zo bezield aan was begonnen als een kaartenhuis in elkaar storten. Het leek wel of iedereen zich ineens tegen haar keerde, maar ze was niet van plan om dat zomaar te laten gebeuren. Ze richtte zich hoog op, haar ogen schoten vuur. 'Ik verbied het je. Jij gaat niet met die Amand in zee.'

'Pardon?' Mark keek haar ongelovig aan. 'Je verbiedt het me? Hoorde ik dat goed? Wie denk je eigenlijk dat je voor je hebt?'

'Je hebt je baan in het hotel aan mij te danken, je kunt ons nu niet in de steek laten,' zei Froukje fel.

'Daar denk ik toch heel anders over. Ik ben een werknemer die gewoon op de loonlijst staat en ik kan ontslag nemen wanneer ik dat wil,' zei Mark gevaarlijk kalm. 'Morgen dus, dan zal ik mijn ontslagbrief aan Leen geven. Uiteraard zal ik de gebruikelijke opzegtermijn in acht nemen en mijn opvolger inwerken voor ik vertrek.'

'Dat kun je niet menen! Mark, hou op. Laten we er morgen verder over praten,' verzocht Froukje. Ze voelde zich ineens doodmoe en niet meer in staat om nog een normaal gesprek op gang te houden. Al haar energie leek uit haar lichaam weg te vloeien.

'Er valt niets meer over te zeggen,' beet Mark haar echter toe. 'Ik ben geen hond die je bevelen kunt geven en kunstjes kunt leren. Ik ben heel goed in staat om zelf te bepalen wat ik met mijn leven doe. Dit had ik graag in goed overleg met jou gedaan, maar als dat niet mogelijk is, neem ik de beslissing zelf wel.'

'Het spijt me dat ik zo uitviel,' zei Froukje vermoeid.

'Nu je merkt dat je verbod niets uitricht, hoef je niet ineens te slijmen om me over te halen,' reageerde hij echter hard. 'Dat komt te laat.' Hij stond op en beende met woedende passen de kamer uit. 'Ik slaap vannacht wel in de logeerkamer,' riep hij nog voor hij de deur met een harde klap achter zich sloot.

Froukje bleef verslagen achter. Ze zat in elkaar gedoken op de bank, te lamgeslagen om op te staan. Alles glipte uit haar handen, zonder dat ze daar zelf invloed op leek te hebben. Al moest ze eerlijk toegeven dat ze in dit geval zelf niet schuldvrij was. Haar uitval was onberedeneerd en onzinnig geweest. Dat wist ze heus wel, maar het was haar even allemaal te veel geworden. Als ze niet op Mark terug kon vallen met alle problemen rond het hotel, op wie dan wel? Haar familieleden lieten haar een voor een in de steek. Morgen moesten ze er eens rustig over praten, besloot ze. Als ze haar standpunt uitlegde, zou hij er vast wel begrip voor hebben. En hopelijk ziet hij dan alsnog van dat onzinnige plan af, dacht ze daar stiekem achteraan. Ze kon hem niet missen in het hotel, niet nu.

Froukje merkte echter al snel dat er helemaal niet met Mark te praten viel. Hij was de volgende ochtend al vertrokken voordat zij haar bed uit kwam, hij had zelfs geen briefje neergelegd. Omdat haar auto nog bij het hotel stond belde ze een taxi om naar haar werk te gaan, hopend dat Mark daar ook zou zijn en dat hij er niet zonder meer vandoor was gegaan. Tot haar opluchting zag ze zijn auto staan op de kleine parkeerplaats aan de achterkant, die speciaal bedoeld was voor de medewerkers.

Leen liep net door de foyer bij haar binnenkomst. 'Goedemorgen Froukje,' begroette hij haar. 'Fijn voor Mark, hè? Ik hoop dat het een succes wordt, al zullen we hem hier wel missen.'

'Wat bedoel je?' vroeg Froukje verward.

'Zijn restaurant.' Leen keek haar bevreemd aan. 'Hij heeft net zijn ontslag bij me ingediend omdat hij met een vriend samen een eigen zaak gaat beginnen. Ga me niet vertellen dat je dat niet wist.'

'Jawel, natuurlijk,' haastte ze zich te zeggen. 'Ik wist alleen niet dat hij dat al verteld had hier. Ik dacht dat hij daar nog mee wilde wachten.'

'Dat zul je dan wel verkeerd begrepen hebben. Ik laat straks meteen een vacature uitgaan voor een nieuwe kok,' nam Leen zich voor. 'Het is jammer dat hij weggaat, maar wel begrijpelijk. Zo'n kans zal hij niet snel weer krijgen. Als zijn restaurant officieel geopend is, gaan Noortje en ik snel eens bij hem eten.'

Froukje knikte hier alleen maar op en liep zo snel mogelijk door. Ze opende haar kapsalon en liet zich verdwaasd op een van de stoelen zakken. Mark ging weg... Hij ging echt weg! Zomaar, zonder enig overleg met haar, had hij zijn ontslag aangeboden. Langzaam voelde ze een kille woede in zich opkomen. Ze wilde best toegeven dat zij gisteren fout was geweest, maar wat hij nu deed, sloeg alles. Ze hadden er op zijn minst eerst nog over kunnen praten samen. Maar als hij het zo wilde hebben, kon hij het zo krijgen. Driftig begon ze aan de voorbereidingen van haar werkdag. Zij was niet van plan om er nog een woord aan te verspillen, hij bekeek het maar!

Toen ze later de keuken in liep om koffie voor haar en Tanja te halen, negeerde ze Mark opzettelijk. Met opgeheven hoofd liep ze langs hem heen, alsof hij onzichtbaar was.

De dagen erna bleef de sfeer tussen hen koel en afstandelijk. Ze zeiden niet meer dan het hoogstnoodzakelijke tegen elkaar, op een beleefde toon. Thuis was de spanning om te snijden. Mark probeerde een paar keer een gesprek op gang te brengen, maar Froukje weigerde halsstarrig om erop in te gaan.

'Doe vooral wat je niet laten kunt,' was het enige wat ze erover zei.

Na een paar pogingen gaf hij het op. Met Froukje valt niet te praten, dacht hij kwaad bij zichzelf. Alles draaide bij haar alleen nog maar om het hotel, de mensen die er werkten interesseerden haar niet. Hij had allang spijt van zijn impulsieve actie om zijn ontslag in te dienen en als hij de kans had gekregen om dat aan haar uit te leggen, had hij het waarschijnlijk weer teruggedraaid. Mark twijfelde enorm over zijn toekomst. Deze kans op een eigen restaurant was te mooi om zonder meer voorbij te laten gaan, toch was hij er niet echt van overtuigd of hij de sprong wilde wagen. Daar had hij rustig met Froukje over willen overleggen voordat hij een beslissing nam. Zijn ontslagaanvraag was niets meer geweest dan een woedende reactie op haar woorden dat ze het hem verbood.

De kans op een rustig gesprek zat er echter niet meer in. Ze ontliepen elkaar zo veel mogelijk, allebei te koppig om het uit te praten.

Een week later tekende Mark samen met Amand het koopcontract van het restaurant. Hij stond er niet honderd procent achter, maar had het gevoel dat hij niet meer terug kon. Zijn baan in het hotel liep ten einde, hij moest iets doen om de kost te verdienen. Terugkrabbelen was sowieso geen optie meer, dat maakte Froukje hem met haar gedrag onmogelijk. Nu aan haar toegeven zou betekenen dat hij voortaan helemaal niets meer over zijn eigen leven te zeggen had, vreesde hij. Dus plaatste hij zijn handtekening, maar het was met een zwaar hart.

HOOFDSTUK 16

'Mijn laatste dag.' Noortje leunde tegen de receptiebalie, waar Leen Paul even verving tijdens zijn koffiepauze. 'Als ik heel eerlijk ben, moet ik zeggen dat ik niet kan wachten tot het halfzes is. De sfeer is hier tegenwoordig om te snijden. Lieke loopt met een gezicht van zeven dagen onweer rond en Froukje doet niet bepaald voor haar onder, om van Mark nog maar niet te spreken. Wat is er toch met die twee aan de hand?'

'Het enige wat ik weet is dat Mark ontslag heeft genomen vanwege zijn eigen restaurant. Ik denk dat Froukje het daar niet mee eens is,' zei Leen.

'Weer iemand die het hotel verlaat. Ik ben het niet altijd met Froukje eens, maar ik kan me voorstellen dat het een hard gelag voor haar is,' peinsde Noortje. 'Er blijft inderdaad niet veel over op deze manier.'

Leen haalde zijn schouders op. 'Sjoerd en Anneke komen binnenkort terug en je vader verwacht ik eind deze week ook weer, dus dat valt wel mee. Jij en Mark zijn de enigen die het hotel verlaten. Dat is jammer, maar zeker niet onoverkomelijk.'

'O, dank je wel,' plaagde Noortje. 'Gelukkig gaat het goed met Charity. Ze krijgen vanmiddag nog wat uitslagen. In principe mag ze al snel naar huis. Het scheelt thuis wel dat Damian en Marja weg zijn, moet ik zeggen. Die twee bezorgden me handenvol werk.'

'Nu Lieke nog,' zei Leen.

'Die mag blijven zolang ze wil, maar ze krijgt dit weekend de sleutel van haar nieuwe onderkomen.' Noortjes gezicht betrok. 'Ik vind het zo ellendig van David en haar. Zou daar nu echt niets meer aan te doen zijn? Ik kan me niet voorstellen dat het echt over is. Die twee waren zo stapelgek op elkaar.'

'Soms is dat niet genoeg. Hoeveel liefde er ook is, een relatie onderhouden blijft hard werken,' zei Leen ernstig. 'Ze hebben het nodige voor hun kiezen gekregen en als je daar niet samen doorheen kunt komen, is het meestal snel afgelopen. Lieke voelt zich in de steek gelaten door David en daar kan ik me wel iets bij voorstellen. Maar misschien kunnen ze het nog bijleggen in de toekomst, als ze het de tijd gunnen.'

'Ik ben er bang voor,' merkte Noortje somber op. 'Lieke is daar in ieder geval heel stellig in. Toch vreemd dat het leven zo kan lopen.' Ze wreef over haar eigen, aanzienlijke buik. 'Stel dat ik niet zwanger was geraakt, dan waren wij misschien wel tegen dezelfde problemen aangelopen en was ik nu diepongelukkig geweest.'

'Ik denk niet dat ik dergelijke problemen zou proberen te verdringen door te gaan drinken. Hoewel, zeg nooit nooit. Niets menselijks is ons vreemd,' zei Leen verstandig. 'Enfin, gelukkig is het bij ons anders gelopen. Dat neem ik niet als vanzelfsprekend, ik ben er dankbaar voor.'

'Ik ook. In het daklozencentrum zie ik genoeg ellende om te weten dat het iedereen kan overkomen. Wij zijn bevoorrechte mensen, het kan inderdaad geen kwaad om daar eens bij stil te staan,' zei Noortje ernstig.

Ze deed een stap opzij omdat er een paar gasten aankwamen. Tegelijkertijd begon de telefoon te rinkelen en met een gebaar naar Leen om duidelijk te maken dat hij zich met de gasten bezig moest houden, pakte Noortje die op.

'Hotel Margaretha, waarmee kan ik u helpen?' vroeg ze vriendelijk.

'Noortje?' klonk Barends verbaasde stem in haar oor. 'Sinds wanneer beman jij de receptie?'

'Sinds ik in de crèche weinig meer te doen heb,' grijnsde ze. 'Dit is mijn laatste werkdag, pap. Mijn opvolgster heeft de zaken al zo goed onder de knie dat ik ertussenuit ben geknepen om een babbeltje met Leen te maken. Hij doet de balie omdat Paul pauze heeft.'

'En Gerda dan?'

'Die staat in de winkel. Sjoerd en Anneke werken momenteel natuurlijk niet. Heb je de laatste berichten over Charity al gekregen? Het gaat gelukkig goed.'

'Ja, gelukkig,' zei Barend achteloos. 'Maar daar bel ik niet voor. Is Leen in de buurt?'

'Hij staat naast me, maar hij heeft het druk. Zijn er problemen?' informeerde Noortje bezorgd.

'Integendeel.' Barend lachte. 'Kun jij aan hem doorgeven dat ik er nog een paar weken aan vastknoop? Het bevalt me hier te goed om al terug te komen. Het klimaat is hier geweldig. In de middag wat te warm naar mijn zin, maar voor de rest ben ik de hele dag buiten. Shelly en Jason zijn aardige mensen. Ze runnen een restaurant, wist je dat? Ik help ze een beetje met zakelijk advies, dus ze vinden het fijn dat ik wat langer blijf.'

'Wij zouden het ook fijn vinden als je ons hier helpt,' zei Noortje scherp. De mededeling van haar vader viel haar rauw op haar dak. 'Je weet hoe de zaken er hier voor staan, pa. Het zou een stuk schelen als jij je taken achter de receptie weer overneemt.'

'Welnee, Paul doet het prima, heb ik begrepen.'

'Maar we missen wel een aantal mensen momenteel.'

'Ik heb er alle vertrouwen in dat jullie dat wel op kunnen vangen. Dus jij geeft het door? Ik moet nu ophangen, Pamela roept me. We gaan eten. Dag.'

Verbouwereerd staarde Noortje naar de telefoon, waar nu de gesprekstoon uit klonk.

'Pa?' probeerde ze nog tevergeefs.

Leen had net de laatste gast geholpen en het was weer rustig aan de balie. Met opgetrokken wenkbrauwen keek hij naar Noortje. 'Problemen?' vroeg hij, net als zij even daarvoor.

Langzaam legde Noortje de telefoon neer. 'Volgens mijn vader in ieder geval niet,' antwoordde ze, nog steeds beduusd. 'Ik moet je zeggen dat hij voorlopig nog niet terugkomt. Hij heeft het zo naar zijn zin dat hij een paar weken langer blijft.'

'Allemachtig! Daar had ik geen rekening mee gehouden.' Leen streek met een vermoeid gebaar door zijn haren. 'Het lukt allemaal wel, maar nog maar net. Ik werk meer uren dan me lief is op dit moment in mijn leven. Ik had graag meer tijd met jou door willen brengen in deze periode.' Hij keek naar haar buik.

'Het geeft niet,' zei Noortje zacht. 'Het is tenslotte niet jouw schuld dat hij ons in de steek laat.'

'Zo moet je het niet zien,' probeerde hij haar wat gunstiger ten opzichte van haar vader te stemmen. 'Hij is een beetje door het dolle heen door alles wat hem zo onverwachts in de schoot wordt geworpen.'

'Dat is geen reden om ons hier te vergeten.' Ze begon nu

kwaad te worden. 'Het interesseert hem gewoon niet meer hoe het ons vergaat. Hij reageerde heel lauw op mijn opmerking over Charity, alsof dat totaal niet belangrijk is. Hij heeft trouwens helemaal niet geïnformeerd naar de stand van zaken hier. Lieke die bij David weg is, mijn zwangerschap, hij heeft er niet naar gevraagd. We bestaan gewoonweg niet meer voor hem, lijkt het wel. Zo ken ik mijn vader helemaal niet.'

'Dat geeft al aan dat hij zichzelf niet is op dit moment. Val hem niet te hard af. Hij heeft nogal wat voor zijn kiezen gekregen de laatste jaren.'

'Dat geldt voor ons allemaal,' zei Noortje bitter terwijl ze zich omdraaide. 'Ik ga Froukje maar vertellen hoe de zaken ervoor staan.'

In de kapsalon was het rustig. Tanja was bezig net gewassen handdoeken op te vouwen, Froukje zat haar administratie te doen.

'Heb je even?' vroeg Noortje. Tegenover haar zus aan haar bureau gezeten, vertelde ze van Barends telefoontje.

'Ik was er al bang voor,' bekende Froukje. 'Hij reageerde te lauw op alles als ik hem sprak. Alles wat hij zegt gaat over hemzelf, over Pamela of over haar dochter en schoonzoon. Hij heeft blijkbaar een nieuwe familie gevonden.' Het klonk gelaten.

'Ben je er niet eens kwaad om?' vroeg Noortje verbaasd. 'Ik had niet zo'n kalme reactie verwacht van je.'

'Ik heb wel iets anders om me druk over te maken,' zei Froukje kortaf.

'Mark,' begreep haar zus meteen. 'Wat is dat nu precies tussen jullie? Een blind paard kan zien dat het niet goed gaat. Is dat nu alleen vanwege zijn restaurant?'

'Dat is de directe oorzaak, ja.' Froukje leunde achterover in haar stoel. Ze tikte afwezig met haar pen op het bureaublad, totdat Noortje naar voren boog en de pen van haar afpakte. Dat tikkende geluid werkte haar op de zenuwen.

'Laat me raden. Jij wilt niet dat hij het hotel verlaat en daar hebben jullie ruzie over gekregen,' zei ze. 'Ik ken je een beetje. Je reageert nogal heftig de laatste tijd, zeker als het om het hotel gaat.'

'En waar heeft het me gebracht?' Triest haalde Froukje haar schouders op. 'De een na de ander gaat ervandoor. Alles valt uit elkaar.'

'Dat is niet waar, Frouk. Dingen veranderen nu eenmaal, maar dat hoeft niet ten koste te gaan van onze onderlinge band. Jouw houding daartegenover, werkt echter wel averechts.'

'Daar ben ik inmiddels ook achter, ja,' knikte Froukje tot Noortjes verbazing. 'Hoe ik ook heb geprobeerd iedereen binnen te houden, het is me niet gelukt. Het leidt alleen maar tot ruzie.'

'Jij kunt dan ook behoorlijk uitvallen,' zei Noortje met een klein lachje. 'Maar hoe staat het nu verder tussen jullie? Dat jullie ruzie hebben is duidelijk, maar het komt toch wel weer goed? Zeg alsjeblieft niet dat het een onoverkomelijk iets is, want dan ga ik zelfs nog vrezen voor Leen en mezelf. Van Lieke en David kon ik het ook al niet geloven.'

'Ik weet het niet. We praten momenteel niet tegen elkaar,' bekende Froukje. 'Mark was zwaar beledigd door mijn eerste reactie, iets wat ik me achteraf heel goed voor kan stellen. Toen ik het uit wilde praten met hem had hij echter al ontslag genomen. Daar werd ik vervolgens weer zo kwaad om dat ik hem geen kans gaf om iets uit te leggen. Zo zijn we in een impasse geraakt. We zijn nu net twee beleefde vreemden die toevallig een huis delen.'

'Lekker rustig, maar niet bepaald bevorderlijk. Blijf het proberen, Frouk,' zei Noortje dringend. 'Wat jullie samen hebben is te goed om het zomaar te vergooien. Sta er gewoon op dat hij met je praat, of hij wil of niet. Ik weet zeker dat een goed gesprek veel, zo niet alles, oplost. Dit is gewoon een uit de hand gelopen misverstand.'

'Hm, ik zal wel zien,' zei Froukje afwerend.

Noortje zag echter aan Froukjes gezicht dat ze haar aan het denken had gezet. Ze kon nu alleen maar hopen dat haar advies goed uit zou pakken. Het zou vreselijk zijn als na Lieke en David nu ook Froukje en Mark uit elkaar gaan, dacht ze somber bij zichzelf. Er leek gewoonweg geen eind te komen aan de negatieve gebeurtenissen binnen hun familie.

De mededeling dat Barend langer weg zou blijven viel als een bom binnen de familie. Er werd onder elkaar druk gespeculeerd over de toekomst.

'Als hij van plan is met die Pamela te trouwen, mag hij wat mij betreft in Australië blijven,' verkondigde Froukje fel.

'Ik heb toch al het idee dat hij dat van plan is,' had Sjoerd daarop gezegd.

De enige die zich er niet druk om leek te maken, was Lieke. Dat weekend kreeg ze de sleutel van de flat die ze had gehuurd, wat voor haar gevoel de scheiding met David definitief maakte. Zolang ze bij Noortje en Leen in huis was, had ze zichzelf nog wijs kunnen maken dat het slechts een tijdelijk logeerpartijtje betrof. Het betrekken van haar eigen woning was echter heel iets anders. Niet dat ze nog hoop koesterde dat het goed zou komen overigens. Dat hoefde voor haar niet eens meer, daarvoor had hij haar te veel pijn gedaan. Toch was dit een enorme stap, eentje waarvan ze niet had verwacht dat ze die ooit zou moeten nemen.

In de lege kamer staarde ze verweesd om zich heen, de nieuwe sleutel stevig in haar handen geklemd. Ze had niet gewild dat er iemand met haar mee zou gaan vandaag. Tenslotte was ze voortaan alleen, daar kon ze maar beter meteen aan wennen. Hoewel haar familie met haar meeleefde en haar overal mee wilde helpen, voelde ze zich eenzaam. Dat Barend besloten had langer weg te blijven, hielp er niet aan mee zich beter te laten voelen. Vroeger hadden ze altijd met al hun problemen bij hun ouders terecht gekund. Soms kon er geen daadwerkelijke hulp worden geboden, maar ze hadden wel altijd een luisterend oor en een brede schouder voor hun kinderen gehad. Na Marga's overlijden hadden ze Barend wat dat betrof ontzien, toch was hij langzaam maar zeker weer in de rol van pater familias gegroeid, zoals ze hem altijd plagend noemden.

Als Pamela niet ten tonele was verschenen, was hij hier vandaag zeker geweest om haar een hart onder de riem te steken, wist Lieke. Hij zou zich simpelweg niets aangetrokken hebben van haar mededeling dat ze alleen wilde zijn. Dat de rest van haar familie dat respecteerde en ze hier inderdaad alleen was, was aan de ene kant fijn, maar aan de andere kant vergrootte het haar gevoel van eenzaamheid. Het zou toch wel prettig zijn als Barend ineens op zou duiken om haar te troosten en haar te helpen, dacht ze weemoedig. De verwijdering tussen hem en zijn kinderen was vliegensvlug ontstaan en moeilijk te verteren. Behalve hun moeder waren ze nu ook hun vader kwijt, al was het op een andere manier. Een jaar geleden zou het ondenkbaar zijn geweest dat ze hier in haar eentje had gezeten. Alles was echter plotsklaps veranderd. Sjoerd en Anneke waren, begrijpelijk, alleen maar met Charity bezig. Alles draaide momenteel om hun dochter, zelfs nu het gevaar geweken was en Charity aan de beterende hand was. Froukje zat zelf midden in een relatie-crisis, van haar hoefde ze even geen hulp te verwachten op dat vlak. Noortje was alleen maar opgelucht dat zij, Lieke, een eigen woning had gevonden en ze haar huis binnenkort weer voor haar en Leen alleen had. Ze had het niet willen laten merken, maar Lieke had de signalen heel goed begrepen.

Froukje had ergens wel gelijk, peinsde ze. De banden verslapten de laatste tijd. Daar moesten ze iets aan doen voor het zo erg uit de hand liep dat ze elkaar straks alleen nog maar kerstkaarten stuurden. Plotseling begon ze hardop te lachen in de stille kamer, een geluid wat hol weerkaatste tegen de lege muren. Ze draafde door. Hun familie zou nooit uit elkaar vallen, dat was ondenkbaar. Het werd misschien anders in de toekomst, maar zeker niet minder, daar hoefde ze helemaal niet bang voor te zijn. Ze moest niet zo zeuren en eens aan het werk gaan, daar was ze tenslotte voor gekomen. Ze stond hier inmiddels al drie kwartier werkeloos om zich heen te kijken.

Resoluut pakte Lieke een blocnote en een pen uit haar tas om zo alles te kunnen noteren wat er gedaan moest worden voor ze haar nieuwe huis kon betrekken. Ze ging zo in haar bezigheden op dat ze zich niet realiseerde dat de bel die door de flat heen klonk, van haar eigen voordeur was. Pas toen hij voor de derde keer ging en er daarbij ook nog op haar deur werd geklopt, besefte ze dat er iemand voor haar was. Waarschijnlijk toch Noortje en Froukje, dacht ze met een glimlach bij zichzelf. Met een wijds gebaar opende ze de deur.

'Treed binnen in...' Ze stokte, want het waren niet haar zussen die op de galerij stonden, maar David.
'Ik hoopte al op een hartelijke begroeting,' zei hij met een scheef lachje.
Liekes gezicht verstrakte onmiddellijk. 'Wat kom jij hier doen? Hoe weet je überhaupt waar ik ben? Noortje natuurlijk,' gaf ze daar zelf het antwoord al op.
David knikte. 'Ik ging naar haar toe omdat ik met je wil praten. Zij gaf me dit adres.'
'Ik had liever dat ze dat niet had gedaan,' zei Lieke kil.
Ze draaide zich om en liep naar binnen, haastig gevolgd door David. 'Je kunt me niet zomaar uit je leven verbannen. We zijn getrouwd.'
'Als het aan mij ligt niet lang meer.'
Hij leunde binnen tegen een muur aan. Lieke zag dat zijn gezicht grauw zag en dat er dikke wallen onder zijn ogen zaten. Die ogen waren trouwens nog steeds bloeddoorlopen, iets wat ze was gaan haten omdat het te maken had met zijn manier van drinken.
'Doe niet zo... zo koud. Alsof we nooit om elkaar gegeven hebben,' verzocht hij vermoeid. 'Ik was fout, Lieke. Dat weet ik. Kunnen we er alsjeblieft over praten?'
Ze liet zich op de koude, kale vloer zakken en sloeg haar armen om haar knieën. Haar benen leken haar gewicht niet meer te kunnen dragen. Sinds die noodlottige dag had ze David niet meer gezien en consequent al zijn telefoontjes en sms'jes genegeerd. Deze confrontatie kwam zo onverwacht dat haar hele lichaam trilde.
'Valt er nog veel te zeggen dan?' vroeg ze zich hardop af. 'Je hebt me heel duidelijk gemaakt dat mijn woorden je onverschillig laten.'
'Ik kom je om begrip vragen daarvoor.' Zijn ogen boorden zich in die van haar en onwillekeurig voelde Lieke zich week worden. Ze besefte nu pas hoe ze hem gemist had. De David van vroeger, althans. Niet de David zoals hij de laatste maanden was geweest. 'Het was stom, dat besefte ik veel later pas. Maar ik was niet toerekeningsvatbaar op dat moment, ik was dronken.'
'Je was voortdurend dronken.' Het klonk bitter.

'Vergeet niet dat ik door een diep dal ging. Alles kwam ineens tegelijkertijd. Mijn baan stond op de schop, we konden geen kinderen krijgen, de ene tegenslag volgde op de andere. Dat jij weigerde je verder te laten onderzoeken, was voor mij de druppel. Ik ging jou onbewust verwijten dat mijn liefste wens niet kon worden vervuld.'

Lieke begon honend te lachen. 'Dat was niet onbewust, hoor, je hebt het me vaak genoeg voor mijn voeten gegooid. Open en bloot, zonder enige terughoudendheid.'

'Dat spijt me.'

'Daar maak je het niet goed mee. Jij was niet de enige met problemen, maar waar je van mij begrip en steun verwachtte, kon ik het in mijn eentje uitzoeken omdat jij naar de fles greep. Daarmee heb je alles kapotgemaakt.'

'Is dat nog te lijmen?' vroeg David zacht. Hij ging op zijn knieën naast haar zitten en pakte haar handen vast. 'Denk je dat er een kans is dat we opnieuw kunnen beginnen?'

'Ik weet het niet.' Lieke bleef stug opzij kijken, bang dat ze onmiddellijk overstag zou gaan als ze dat vertrouwde gezicht van zo dichtbij zag. 'Er zal sowieso heel wat moeten veranderen voor het zover is.'

'Ik ben gestopt met drinken.'

Nu keek ze hem wel recht aan. Dit klonk haar al te gemakkelijk in haar oren, vooral gezien de duidelijke sporen op zijn gezicht. 'Zomaar opeens?'

'In ieder geval drink ik niet zo veel meer,' zei hij. 'Maar het is moeilijk, Lieke. Ik heb niets omhanden en zit de hele dag alleen thuis. Ik mis je. Kom alsjeblieft terug om me te helpen er voorgoed vanaf te blijven. Ik heb je nodig.'

'Als je persoonlijke hulpje?' vroeg ze spottend terwijl ze iets achteruit schoof. 'Dat is geen basis, David. Je zult eerst moeten stoppen met drinken, daarna zal ik bekijken of ik nog genoeg om je geef om terug te komen. Ik ben niet van plan om als je stok achter de deur te dienen.'

'Dan doe ik dat,' ging hij meteen overstag. 'Als je maar terugkomt, daar heb ik alles voor over. Beloof je me dat we opnieuw beginnen als ik, pakweg, een maand niet drink?'

Ze schudde haar hoofd. 'Nee. Zo werkt dat niet. Eerst stoppen, dan praten we verder.'

Schuldbewust liet hij zijn hoofd hangen. 'Ik heb het echt verpest, hè? Maar het gaat me lukken, schat, daar hoef je niet bang voor te zijn. Ik weet zeker dat alles goed komt. Straks wonen we weer samen in ons huis en kunnen we gaan kijken hoe we onze droom kunnen realiseren. Ik heb al de nodige research gedaan. In Amerika zijn ze al enkele stappen verder dan hier, ik heb goede hoop dat het daar wel gaat lukken. Geld is geen bezwaar, dat scheelt.'

Er verkilde iets in Lieke bij deze woorden. Het weke plekje in haar hart, zacht geworden door zijn beloftes, verhardde alweer. Ze sprong overeind en deed enkele stappen achteruit. 'Ik ben niet van plan om een kind te kopen,' zei ze scherp. 'Dat we geld hebben, betekent niet dat we tot het uiterste gaan, dat heb ik je vaak genoeg gezegd. Het is mijn lichaam en ik laat er niet eindeloos aan sleutelen.'

'Maar denk toch eens aan het resultaat,' probeerde David haar te overreden. 'Je bent bang, dat begrijp ik, maar je moet het doel voor ogen houden.'

'Mijn doel op dit moment is een leven opbouwen dat ook zonder kinderen zinvol is. Ik was heel graag moeder geworden, maar ik heb me erbij neergelegd dat die kans er niet in zit. Dat kostte genoeg moeite trouwens. Mijn grens is bereikt nadat de specialist waar ik op jouw aandringen heen ben gegaan, hetzelfde verteld heeft als de gynaecoloog. Ik wil niet mijn hele leven op één kaart inzetten, om er vervolgens na jaren achter te komen dat het voor niets is geweest. Wat ik wil is mijn leven weer vormgeven, het verdriet een plek geven en de problemen achter me laten. Als dat eenmaal gelukt is, kunnen we wellicht adoptie overwegen of pleegkinderen in huis nemen.'

'Ik wil alleen kinderen van mezelf,' zei David meteen.

'Dan zul je een andere vrouw moeten zoeken, dat is simpeler dan mij meeslepen naar Amerika,' gaf Lieke sarcastisch terug. 'Zeg het maar. De keus is aan jou.' Ze keek hem afwachtend aan en zag met pijn in haar hart dat hij zijn ogen neersloeg.

'Ik kan me het leven zonder kinderen niet voorstellen. Maar ik wil ze het liefst met jou samen, Lieke.'

'Dat gaat dus niet.'

'Dat kan wel, als jij je maar wat meer open zou stellen voor de mogelijkheden,' hield hij vol.

'We zijn uitgepraat.' Lieke liep naar de deur en hield die voor hem open. 'Jij hebt geen enkel respect voor mijn standpunt, het draait alleen maar om wat jij wilt. Ga alsjeblieft weg. Mijn advocaat neemt binnenkort contact op om alle zaken rondom de scheiding te regelen.'

'Ken je dat spreekwoord van die pot en die ketel?' zei David hatelijk. 'Vanaf het moment dat we die uitslag kregen ben je over mijn gevoelens heen gewalst, je hebt je nooit afgevraagd hoe ik me eronder voelde. Wat jij beslist, dat gebeurt. Nou, zo werkt het niet binnen een huwelijk. Jij hebt het niet alleen voor het zeggen, al denk je van wel.'

'Wees dan maar blij dat je van me af bent. Zoek een volgzaam vrouwtje dat je naar je ogen kijkt, schenk haar een paar kinderen en laat mij voortaan met rust.'

Na die woorden knalde ze de deur achter hem in het slot. Ze sloeg haar handen voor haar ogen, maar tranen kwamen er niet. Wel stond ze over haar hele lichaam te trillen. Het had haar enorm veel zelfbeheersing gekost om die laatste zin eruit te krijgen na zijn verwijten aan haar adres. Ze had hem het liefst willen slaan en ze was erg geschrokken van die gevoelens. Normaal gesproken was ze nooit zo agressief, maar David leek tegenwoordig alleen nog maar het slechtste is haar naar boven te halen.

Omdat Lieke haar benen nog steeds niet vertrouwde, ging ze op de brede vensterbank zitten. Dit was het dus. Nu echt. Zijn hele houding stuitte haar zo tegen haar borst dat ze zeker wist dat ze nooit meer met hem samen kon zijn, maar die constatering deed wel ontzettend veel pijn. Eens hadden ze zo veel van elkaar gehouden dat ze zich niet konden voorstellen ook maar één dag van elkaar gescheiden te zijn. En nu...

Liekes ogen brandden. Kon ze maar huilen.

HOOFDSTUK 17

Enkele kilometers verderop werd er eveneens een verzoeningsgesprek gehouden. Gedachtig Noortjes woorden zorgde Froukje ervoor dat ze die avond niet al in bed lag op het tijdstip dat Mark uit zijn werk kwam, in tegenstelling tot de weken ervoor. Toen had ze zich expres slapende gehouden, nu zat ze in de huiskamer op hem te wachten. De tv stond aan, ze keek echter amper naar het scherm. Haar gedachten vertoefden bij voorbaat al bij het gesprek wat zij en Mark moesten voeren. Terwijl haar ogen naar de tv keken, repeteerden haar hersens de woorden die ze wilde zeggen. Als hij tenminste nog wilde praten. De kans dat hij daar totaal niet voor openstond was niet denkbeeldig na de harde woorden die er tussen hen waren gevallen.

Mark keek verbaasd op bij zijn binnenkomst. 'Slaap je nog niet?' vroeg hij overbodig.

'We moeten praten, Mark,' zei Froukje zonder omwegen. 'Dit gaat zo niet langer. We gedragen ons verdorie als twee vage kennissen.'

'Graag,' zei hij terwijl hij ging zitten.

'Meen je dat?' vroeg Froukje van haar stuk gebracht. Ze had er rekening mee gehouden dat hij afwerend zou reageren, de manier waarop hij haar aankeek was echter eerder gretig te noemen.

'Natuurlijk. Ik hou van je en ik vind wat er nu tussen ons gebeurt vreselijk,' zei Mark eenvoudig. 'Mag ik beginnen? Het spijt me dat ik zo impulsief mijn ontslag heb ingediend. Door die ruzie de avond ervoor reageerde ik in een impuls, om jou te laten zien dat ik een zelfstandig denkende man ben die zelf zijn beslissingen neemt. Het was kinderachtig en stom. Ik had jou de tijd moeten geven om aan het idee te wennen.'

'Ik had niet zo uit moeten vallen,' zei Froukje op haar beurt. 'Dat spijt mij, Mark. Het sloeg nergens op, maar ik raakte in paniek toen jouw vage plannen ineens realiteit leken te worden.'

'Kortom, we hebben ons allebei als een stel verwende kinderen gedragen,' concludeerde hij. 'Hebben we daarvoor nu al die tijd zo koeltjes tegen elkaar gedaan? Het sop is de kool eigenlijk niet waard. Kom hier.' Hij begon te lachen en trok haar naar zich toe. De kus die voor haar mond was bedoeld, kwam op haar wang terecht omdat Froukje haar gezicht wegdraaide.

'Is dit alles? We zeggen allebei dat het ons spijt en het is weer goed?'

'Natuurlijk, waarom niet? We zijn allebei dom bezig geweest, dus we hoeven elkaar niets meer te verwijten.' Teder streelde Mark over haar wang. 'Je moet niet zo piekeren, schat.'

'Ik ben vanavond in mijn hoofd uren aan het repeteren geweest om te bedenken wat ik allemaal tegen je moest zeggen,' bekende Froukje.

'Zeg maar alleen dat je van me houdt, dat is meer dan genoeg. Of is dat soms veranderd?' Onderzoekend keek hij haar aan.

'Absoluut niet,' verzekerde ze hem innig terwijl ze haar armen om zijn nek sloeg. 'Ik vroeg me eerder af of dat andersom niet het geval was.'

'Nooit. Zo'n ruzietje krijgt ons er niet onder.' Mark trok Froukje naast zich op de bank en innig gelukkig nestelde ze zich tegen hem aan. Het voelde meteen weer veilig en vertrouwd, alsof die nare weken er niet waren geweest.

'Laten we het voortaan meteen uitpraten als er iets is,' stelde ze lachend voor. 'Dat scheelt een heleboel ellende.'

'We zijn allebei koppig,' was Mark het met haar eens. 'Misschien passen we daarom juist zo goed bij elkaar. Weet je nog, onze eerste ontmoeting? Ik viel als een blok voor je.'

'Wederzijds.' Froukje glimlachte.

Ze hadden elkaar ontmoet na haar overhaaste vlucht naar Engeland en Mark bleek het beste medicijn voor haar gebroken hart te zijn. Als criterium voor een nieuwe relatie had ze samen met haar vriendin Nicole uitgemaakt dat het een man moest zijn met wie ze op een onbewoond eiland zou willen zitten. Mark had deze test glansrijk doorstaan, al lang voor hun eerste zoen werd uitgewisseld.

'Ik zou nog steeds graag met jou op een onbewoond willen zitten,' zei ze dan ook als vervolg op haar gedachten.

'Dat zou je anders flink tegenvallen. Je bent veel te ver-

knocht aan je hotel om dat in de steek te laten,' wist Mark.
'Jij bent belangrijker.'
Hij begon zacht te lachen. 'Betekent die uitspraak dat je je baan in het hotel opgeeft om mij te helpen in het restaurant?'
Ze porde hem in zijn zij. *Don't push your luck,*' waarschuwde ze hem. 'Hoe staat het overigens met het restaurant? Ik wil er alles over weten.'
Marks gezicht betrok enigszins. 'Ik praat liever over ons.'
Froukje keek hem opmerkzaam aan. Ze kende hem goed genoeg om de klank van zijn stem te doorgronden. 'Nu al spijt?' informeerde ze luchtig.
'Heel eerlijk? Wel een beetje,' antwoordde hij. 'Kijk niet zo verschrikt, zo erg is het niet. Ik ben er alleen niet honderd procent van overtuigd dat ik dit wil. Er blijft een stukje twijfel zitten. Wellicht komt dat alleen omdat het nieuw en onbekend is en ben ik over een paar maanden dolblij dat ik deze stap heb gezet. In ieder geval wil ik het een kans geven nu de zaken er zo voor staan en niet op voorhand al opgeven. Dat kan ik trouwens tegenover Amand niet maken.'
'Jammer, ik had het erg prettig gevonden als je alsnog in het hotel zou blijven werken,' zei Froukje eerlijk. 'Zeker nu iedereen vertrekt. Ik voel me behoorlijk in de steek gelaten door mijn familie. Dat is een van de redenen waarom ik zo uitviel tegen jou toen je met dat verhaal over het restaurant kwam.'
'Sst, daar zouden we het niet meer over hebben.'
Teder legde Mark zijn vinger op haar mond, vervolgens boog hij zich voorover om diezelfde mond te kussen. Froukje klampte zich aan hem vast. Wat er ook nog te gebeuren stond in de toekomst, ze was in ieder geval verzekerd van Marks liefde. De kortsluiting was maar tijdelijk geweest en vooral veroorzaakt door koppigheid. Na alle doemscenario's die zich in haar hoofd hadden afgespeeld, was Froukje nu dubbel gelukkig. In zijn armen lukte het haar zelfs alle sores rondom het hotel van zich af te zetten.

Terwijl het leven in Nederland doorging, leek dat van Barend in Australië stil te staan. De dagen regen zich naadloos aan elkaar en hij genoot van het feit dat hij geen verplichtingen had. De problemen thuis raakten hem niet, hij was alleen bezig met zichzelf en met Pamela. De kennismaking met Shelly en Jason was soepel verlopen. Ze bezaten een klein restaurant in het centrum van Sydney, waar hij en Pamela regelmatig gingen eten. Nederland was niet alleen in kilometers ver weg, maar ook in zijn gedachten. Voor het eerst proefde hij van de totale vrijheid en dat beviel hem prima. Geen zorgen aan zijn hoofd, iedere dag mooi weer en een knappe vrouw aan zijn zij. Wat kon een man zich nog meer wensen? Last van heimwee had hij dan ook totaal niet. Pamela had hem volledig in haar ban, hij voegde zich naar haar wensen en verlangens. Dat zij weinig oog had voor die van hem, viel hem niet eens op. Ze was er, dat was voor Barend genoeg. Zijn leven was in korte tijd honderdtachtig graden gedraaid en dat nam hem zo in beslag dat de jaren hiervoor weggevallen leken te zijn. Hij was niet langer de Barend Nieuwkerk die na jarenlang keihard werken als eenvoudige arbeider een prijs had gewonnen en daarna met zijn gezin een hotel had opgezet. Zijn verleden telde hier niet, de mensen kenden hem slechts als de man zoals hij zich profileerde. Hij was voor hen Barend Nieuwkerk, de rijke man uit Nederland die met alle egards werd behandeld. De man in dure maatpakken, met de gouden bril en de kalfsleren schoenen. De man die zijn schaapjes op het droge had. De man die samenleefde met een mooie, jongere vrouw. Barend leefde zich zo in in deze rol dat alles wat hiertoe geleid had niet meer meetelde.

Toen Shelly en Jason hem advies vroegen over hun zaak, verleende hij zijn diensten goedgunstig. Hij dook in de boeken, bekeek de voorraad en maakte plannen voor verbetering alsof het zijn dagelijks werk was. Plotseling was hij de zakenman die hij vroeger had willen zijn, een leven waar hij even aan geproefd had na het winnen van de loterij. Destijds was het niet zo goed bevallen als hij verwacht had. Hij bleef de arbeider die geluk had gehad en werd in de zakenwereld niet serieus genomen. Hier in Australië was dat anders. Hier respecteerden ze hem om wat hij vertegenwoordigde en kende niemand de Barend van vroeger, die na een dag hard werken uitgeblust voor de tv zat en die ieder dubbeltje om moest draaien voor hij hem uit kon geven.

'Jason en Shelly willen uitbreiden,' zei Pamela op een dag. Ze waren inmiddels al twee maanden in Australië, veel langer dan in eerste instantie de bedoeling was geweest. Na een uitgebreid diner dronken ze nog een glas wijn op het terras van het hotel waar ze logeerden. 'De winkel naast hen komt volgend jaar in de verkoop, als ze die erbij kunnen trekken, willen ze daar een feestzaal van maken.'

'Klinkt goed,' knikte Barend bedachtzaam terwijl hij goedkeurend het goudkleurige vocht in zijn glas bekeek. De wijn was hier uitstekend.

'Het probleem is geld,' ging Pamela verder. 'Een lening krijgen ze niet omdat ze nog te kort bestaan. Misschien kunnen wij ze helpen.' Ze boog zich iets voorover en legde haar hand op die van Barend. 'Jij zou ze een renteloze lening aan kunnen bieden. Of een schenking.'

'Dan wil ik eerst het businessplan zien. Misschien kan ik me inkopen in het bedrijf,' zei Barend.

Wrevelig trok ze haar hand weer terug. 'Ze zitten niet te wachten op inmenging, dat kunnen ze heel goed zelf af,' zei ze ongeduldig. 'Doe nou niet zo moeilijk, Barend. Je hoeft je niet in hun zaak te verdiepen, het enige wat ze nodig hebben is een cheque.'

'Ik geef niet zomaar mijn geld weg zonder op de hoogte te zijn van wat ermee gebeurt.'

'Vertrouw je ze soms niet? Het gaat hier om mijn dochter.' Pamela vertrok haar lippen tot een smalle streep en wendde haar gezicht af. 'Dit valt me zwaar van je tegen.'

'Liefje, ik heb toch niet gezegd dat ik ze niet wil helpen? Integendeel, ik doe het met liefde, maar dan wel met een goed plan op papier. Ik ben geen filantroop, ik ben een zakenman.'

'Je bent een man die de loterij heeft gewonnen en daar mooi weer mee speelt,' zei Pamela snibbig.

Barends ogen werden donker. Zelfs van Pamela kon hij dergelijke opmerkingen slecht hebben. 'Daar doe jij anders goed aan mee. Wie betaalt dit hotel tenslotte?' vroeg hij koel.

'Schat, zo bedoel ik het toch niet,' krabbelde ze haastig terug. 'Maar jij hebt geen verstand van restaurants. Zelfs in je eigen hotel heb je een manager aangenomen om de boel te leiden. Jason en Shelly kunnen het prima samen af, ze hebben alleen geld nodig.' Ze boog opnieuw naar voren en keek hem van dichtbij glimlachend aan. 'We willen toch allemaal onze kinderen vooruit helpen in de wereld?'

'We zullen zien,' hield hij zich nog enigszins op de vlakte, al had hij allang besloten dat geld te geven. Hij kon Pamela nu eenmaal niets weigeren. Hij streelde haar hand en bracht die vervolgens naar zijn lippen om een kus op haar vingers te drukken. 'Ik wil over een paar dagen terug naar Nederland om alle voorbereidingen te treffen voordat we ons hier gaan vestigen. In de tijd dat we daar zijn kunnen Jason en Shelly een plan op papier zetten en een begroting maken. Bij onze terugkomst zal ik dat doornemen.'

'Ik had wat meer enthousiasme en medewerking van je verwacht,' zei Pamela met een pruillip.

'Het komt wel goed,' beloofde hij haar.

'Dus ik kan tegen Shelly zeggen dat het doorgaat?' drong ze aan.

'Als het plan in orde is, zal ik ze helpen.'

'Hm, het is wel jammer dat je er voorwaarden aan verbindt. Ik dacht dat je mijn kind ook als het jouwe beschouwde, maar dat is blijkbaar niet zo.'

'Ik geef mijn eigen kinderen ook niet zomaar geld.'

'Je hebt die prijs met hen gedeeld,' hielp Pamela hem herinneren.

'Laten we erover ophouden en naar bed gaan,' zei Barend op een toon waarvan ze wist dat ze er beter niet tegen in kon gaan. 'Morgen boek ik onze terugvlucht naar Nederland. Zodra we straks weer hier zijn, zal ik me over hun plannen buigen.'

Pamela koos eieren voor haar geld en hield haar mond verder dicht. Zij had andere manieren om Barend daar te krijgen waar ze hem hebben wilde. Voordat het ochtendgloren aanbrak en ze eindelijk in elkaars armen in slaap vielen, had hij haar al een aanzienlijk bedrag in het vooruitzicht gesteld. Een deel daarvan stortte hij de dag erna direct op de rekening van Jason en Shelly, de rest kregen ze zodra de winkel naast hun pand daadwerkelijk in de verkoop kwam. Enkele dagen later aanvaardden ze de terugreis naar Nederland. Ze kwamen diep in de nacht aan, toch stond Froukje hen op te wachten op het vliegveld om hen naar Barends huis te brengen. 'Anders is het zo ongezellig,' verklaarde ze terwijl ze hem omhelsde.

Barend was meer ontroerd door dit gebaar dan hij toe wilde geven. In zijn huis waren enkele lampen aan en er stond een bos bloemen op tafel met een kaartje met 'welkom thuis' erop namens al zijn kinderen. Hij staarde er lang naar. Het besef dat hij hen allemaal had gemist, sloeg nu pas in volle hevigheid toe. Na een korte nachtrust reed hij naar het hotel. Pamela sliep nog, maar dit keer had hij ook even geen behoefte aan haar gezelschap. Diep in gedachten reed hij de bekende weg, die hij al honderden keren had gereden. Het regende en zijn ruitenwissers maakten een piepend geluid. Het voelde alsof hij niet maandenlang weg geweest was. Hij draaide zijn auto de inrit op, parkeerde en stapte uit. Via een zijpad liep hij naar het paadje dat naar de ingang leidde. Getroffen bleef hij staan op het moment dat het hotel voor hem opdoemde. Hotel Margaretha. De rode letters tegen de witte achtergrond blonken hem tegemoet. Hotel Margaretha... Marga... Ineens voelde hij weer de scherpe pijn van het gemis van zijn vrouw. Hij kon niet voorkomen dat de tranen in zijn ogen schoten. Dit alles was hem zo vertrouwd. En zo geliefd, moest hij toegeven nu hij er weer was. In Australië had het allemaal zo onwerkelijk geleken.

Leen was de eerste die hem zag. Op weg van de eetzaal naar zijn kantoor zag hij Barend buiten voor de ingang staan, dus hield hij zijn pas in en veranderde van koers. 'Terug op het honk?' begroette hij hem hartelijk met een klap op zijn schouder. 'Kom binnen, zo prettig is het hier niet, ondanks dat de kalender aangeeft dat het zomer is.'

'In Australië was het beter weer,' knikte Barend. Huiverend liep hij naast Leen de uitnodigende open deuren door.

'Het was een geslaagde vakantie, begreep ik. Je bent behoorlijk bruin geworden.'

'De zon schijnt daar bijna het hele jaar door, iets waar wij alleen maar van kunnen dromen.' Barend keek de bekende hal door. Hij knikte even naar Paul, die hij voor zijn vertrek een paar keer had gezien. Nu hij hier stond, werd hij overspoeld door herinneringen. Ze hadden als gezin veel meegemaakt sinds de oprichting. Even leek hij teruggeworpen in de tijd. 'Lieke is buiten de deur voor een bespreking,' vertelde Leen. 'Ze is waarschijnlijk over een uur terug. Ze zal blij zijn je weer te zien.'

'Jammer. Dan ga ik eerst mijn andere kinderen maar begroeten. Froukje heb ik vannacht al gezien, maar de rest nog niet. Zijn Sjoerd en Anneke in de winkel?'

Leen keek hem bevreemd aan. 'Die werken niet. Charity is inmiddels ontslagen uit het ziekenhuis, maar ze heeft nog veel zorg nodig. Ze kampt nog met wat restverschijnselen, vooral in haar motoriek. Daar krijgt ze fysiotherapie voor, maar ze moet thuis natuurlijk ook veel oefenen. Anneke heeft al aangegeven voorlopig helemaal niet te komen werken en Sjoerd begint binnenkort weer voor halve dagen. Hij wil nu natuurlijk veel thuis zijn om Anneke te ontlasten in de zorg. Tenslotte hebben ze nog twee kinderen.'

Barend knikte beschaamd. De problemen in het gezin van zijn zoon waren enigszins aan hem voorbijgegaan, moest hij toegeven. Uiteraard was hij wel op de hoogte gehouden, maar hij had zich er niet echt in verdiept, zo vol als hij was van zijn nieuwe leven.

'Dan ga ik zo wel naar hun huis, eerst even Noortje gedag zeggen,' mompelde hij.

'Noortje werkt niet meer,' zei Leen echter. 'Heeft ze je dat niet verteld? De baby komt over zo'n tweeënhalve maand, ze is gestopt om zich daarop te richten. Het werd haar allemaal een beetje te veel. We hebben natuurlijk een drukke periode achter de rug met de logeerpartij van Damian en Marja, en ook nog Lieke die een tijdje bij ons gewoond heeft. Zij heeft nu een eigen flat en Noortje geniet van de stilte thuis.' Hij grinnikte. 'Dat zal haar straks nog tegenvallen als er een huilende baby is.'

'Lieke een eigen flat?' herhaalde Barend dociel. Hij sloot zijn ogen en wankelde even, waarna Leen hem stevig vastpakte. 'Laten we een kop koffie drinken,' stelde hij voor terwijl hij Barend naar zijn kantoor loodste. 'Het overvalt je geloof ik allemaal nogal, hè? Was je niet op de hoogte van de scheiding tussen Lieke en David?'

'Nee,' antwoordde Barend moeizaam. 'Maar er is veel wat ik niet weet, blijkt nu.'

'Mark heeft ook ontslag genomen. Hij is met een vriend een eigen restaurant begonnen. Samen hebben...' Leen werd onderbroken door een klop op de deur, die meteen daarna geopend werd door Paul.

'Kun je even komen? Er zijn problemen met een boeking en ik kom er niet goed uit,' verzocht deze.

'Ik kom eraan.' Leen stond al op terwijl hij het zei.

Barend bleef alleen achter in het kantoortje, waar hij ten prooi viel aan talloze gevoelens. Naïef was hij ervan uitgegaan dat alles in het hotel onveranderd was gebleven, dat hij het net zo aan zou treffen als hij het bijna drie maanden geleden achtergelaten had. Het leven had hier echter niet stilgestaan. Hij had heel wat gemist, realiseerde hij zich. Belangrijke gebeurtenissen die de levens van zijn kinderen overhoop hadden gegooid terwijl hij vrolijk van zijn lange vakantie genoot en amper een gedachte aan hen spendeerde. Het telefonisch contact dat hij met het thuisfront had onderhouden, was bijna altijd van hun kant gekomen. Berichten die hij had gekregen, vervaagden zodra de verbinding verbroken was, besefte hij schuldbewust. Hij was op de hoogte van Charity's ziekte, maar had luchtig gedacht dat het allemaal wel mee zou vallen. Zijn kleindochter had echter dood kunnen zijn, drong het nu pas tot hem door. Een golf van afschuw vervulde hem bij de wetenschap dat hij vakantie had gevierd en van zijn nieuwe leven had genoten terwijl zijn kinderen in een crisis verkeerden. Vroeger was hij van ieder detail op de hoogte geweest.

Hij schrok op toen de deur werd geopend.

'Ik dacht wel dat je hier zou zijn,' klonk een vrolijke stem. Meteen daarna voelde hij de armen van Noortje om zijn hals. 'Wat fijn dat je er weer bent. We hebben je gemist.'

'Ik jullie ook,' zei Barend moeizaam met een brok in zijn keel. Hij monsterde Noortjes figuur. Bij zijn vertrek was ze nog slank geweest, nu stak haar buik prominent naar voren. Het beste bewijs dat het leven door was gegaan tijdens zijn afwezigheid. Het schuldgevoel dat hem overviel, belette hem bijna te ademen.

HOOFDSTUK 18

Die avond was er een bescheiden welkom-thuis-feestje voor Barend en Pamela in zijn huis. Gerda, normaal gesproken altijd aanwezig bij dit soort familiebijeenkomsten, was er dit keer niet bij. Zij had te kennen gegeven dat ze liever samen met Paul dienst wilde draaien, zodat de rest van het gezin vrij kon nemen. Leen, die haar beweegredenen begreep, had het zo gelaten.

Pamela zat er verveeld bij terwijl de kwinkslagen over en weer vlogen. Ze speelde wat met haar wijnglas en mengde zich niet in de gesprekken.

Barend daarentegen voelde zich weer helemaal thuis in de schoot van zijn gezin. Hij stoeide met Damian, had Charity lange tijd op schoot en koesterde zich in de warme sfeer die er heerste. Zelfs Lieke, die er bleek en vermoeid uitzag en zich tegenwoordig wat los leek te maken van haar familie, had het naar haar zin. Ze praatte geanimeerd met Mark over zijn restaurant en de verbouwing die daar plaatsvond. Omdat het een bestaande, goedlopende zaak was, hoefde er niet veel aan te gebeuren en was de zaak slechts een paar dagen gesloten voor hij en Amand het roer overnamen. Ze beloofde hem flyers te maken om de heropening aan te kondigen en die in het centrum te verspreiden.

'Ik hoop dat jullie allemaal snel eens bij ons komen eten,' zei hij, de kring rondkijkend.

'Vast en zeker,' beloofde Barend hem.

'Mag ik dan mee?' Charity klemde haar armpjes om zijn hals. 'Ik wil met jou samen, opa. Je mag nooit meer zo lang weggaan, hoor.'

'Daar spreekt ze een waar woord,' zei Noortje met een glimlach naar haar vader. 'Je hoort het. Je toekomstige vakanties mogen niet langer dan twee weken duren, anders missen we je te veel.'

'Daar zullen jullie toch aan moeten wennen,' mengde Pamela zich plotseling in het gesprek. 'Binnenkort zijn we voorgoed weg, we gaan namelijk in Australië wonen.' Triomfantelijk keek ze om zich heen om de uitwerking van haar woorden niet te missen.

Er viel een diepe stilte, waarin Barend ongemakkelijk heen en weer schoof op zijn stoel. Hij had zijn toekomstplannen nog niet openbaar gemaakt in de paar uur die hij pas thuis was.

'Echt waar?' vroeg Leen uiteindelijk.

'We hebben plannen in die richting,' gaf Barend toe.

'Volledig uitgewerkte plannen,' kwam Pamela weer. Ze keek hem bijna boos aan. 'Doe nou niet of het slechts een vaag idee is, alles staat al vast.'

'Dat had ik mijn kinderen liever zelf verteld,' zei hij kil.

'Dat is onverwachts,' zei Froukje. De stemming sloeg in één klap om, iedereen zat er wat verslagen bij. 'Als dat echt is wat je wilt, moet je er natuurlijk voor gaan, maar het valt nogal rauw op mijn dak.'

'Jullie zijn volwassen, het wordt hoog tijd dat jullie vader zijn eigen leven gaat leiden,' klonk de koele stem van Pamela.

'Zijn leven, ja, niet het jouwe,' zei Lieke schamper. 'Ik kan me niet voorstellen dat dit zijn eigen idee was.'

'We praten er nog wel over,' smoorde Barend de opkomende ruzie in de kiem. 'Wil iemand nog iets drinken?' Hij wierp Pamela een kwade blik toe, die Noortje niet ontging.

'*Troubles in paradise*,' fluisterde ze tegen Lieke.

'Hoe meer troubles, hoe liever het me is,' gaf die zacht terug. 'Ik gun hem alle geluk van de wereld, maar daar kan zij vast niet voor zorgen. Ik vind haar steeds enger worden. Zag je die triomfantelijke blik van haar?'

'Ze geniet hiervan,' was Noortje het met haar eens. 'Ze is van het begin af aan bezig om pa van ons los te weken.'

'Met succes, vrees ik,' zei Lieke somber.

Hoewel Barend daarna hardnekkig probeerde het gesprek een andere richting op te duwen, kwamen ze toch weer op het onderwerp terug. Het was onmogelijk om over koetjes en kalfjes te praten op dat moment. Iedereen was vol van deze onverwachte wending van de avond.

'Wanneer gaan jullie?' vroeg Noortje.

'Zo snel mogelijk,' antwoordde Pamela.

'Dat zien we nog wel,' zei Barend echter tegelijkertijd. 'In ieder geval niet voordat jij bevallen bent. Dat wil ik niet missen.'

Pamela deed haar mond open om te protesteren. Op zijn waarschuwende blik in haar richting sloot ze hem weer, maar haar ogen konden niet verhullen dat ze woedend was. Froukje stootte Mark heimelijk aan. In korte tijd hadden ze Barend ingrijpend zien veranderen, nu vingen ze echter weer een glimp van de oude Barend op, ondanks het dure pak dat hij droeg.

De echte stemming wilde niet meer op gang komen en ze braken dan ook vroeger op dan de bedoeling was geweest. Zodra de deur achter zijn kinderen dicht gevallen was, wendde Barend zich tot Pamela. 'Dat was niet nodig geweest,' zei hij kort.

Ze haalde verveeld haar schouders op. 'Ze moeten het toch eens weten. Ik dacht trouwens dat je het al verteld had.'

'Je had uit het gesprek af kunnen leiden dat dit niet het geval was. Dit was niet de manier waarop ik het nieuws kenbaar had willen maken.'

'Waar maak je je druk om?' vroeg ze geërgerd. 'Ik begrijp niet dat je kwaad op mij bent terwijl jij degene bent die onze plannen zonder meer omgooit. De afspraak was zo snel mogelijk terug te keren.'

'In dat geval ben ik van gedachten veranderd,' zei hij kil. 'Het komt niet op een maand meer of minder aan. Ik wil hier zijn als mijn volgende kleinkind wordt geboren. Ik heb al te veel gemist de afgelopen maanden.'

'Stel je niet zo aan. Je kinderen hebben je heus niet nodig, hoor. Die redden zich prima zonder jou,' zei Pamela hatelijk terwijl ze zichzelf nog een glas wijn inschonk.

'Maar ik misschien niet zonder hen.' Deze woorden waren eruit voor hij er erg in had en Barend schrok er zelf van.

Pamela overigens ook. Razendsnel bedacht ze dat dit de verkeerde kant op ging. Haar hele gedroomde toekomst kwam op deze manier op losse schroeven te staan, evenals die van Shelly en Jason. Als een kameleon veranderde ze van tactiek. Ze zette haar glas neer en liep met een glimlach om haar lippen op Barend toe. 'Ach lieverd, het spijt me,' zei ze zacht. 'Natuurlijk had ik ze er niet mee willen overvallen, maar ik ben zo vol van onze toekomstplannen dat ik nergens anders meer aan kan denken. Ik verlang ernaar om samen met jou daar een huis in te richten en ons leven op te bouwen. We hebben allebei de nodige tegenslagen te incasseren gehad, we mogen nu best eens aan onszelf denken.' Ze sloeg haar armen om zijn hals en drukte haar lichaam tegen het zijne aan. 'Wees alsjeblieft niet boos op me,' zei ze met een pruillip.

'Ik ben niet boos,' zei Barend vermoeid. Hij beantwoordde haar omhelzing, maar de vervoering die hij anders voelde als hij haar in zijn armen had, bleef dit keer uit.

Hun relatie leek iets te vervlakken in de tijd daarna. In het kille Nederland was alles heel anders dan in Australië. De tijd daar kwam Barend af en toe voor als een mooie droom, iets wat niet echt gebeurd was. Daar was zijn relatie met Pamela vanzelfsprekend geweest, maar hier leek ze niet echt in zijn leven te passen. Het was een ontwikkeling die door Froukje, Lieke en Noortje met belangstelling werd gadegeslagen. Sjoerd hield zich er verre van. Hij bemoeide zich niet met de roddelpraatjes van zijn zussen, zoals hij het minachtend noemde.

De tijd verstreek zonder dat de emigratieplannen concreet uitgevoerd werden, tot frustratie van Pamela. Barend bracht meer tijd in het hotel door dan haar lief was. Hij vulde het gat op dat Sjoerd en Anneke achter hadden gelaten, voerde hij aan. Sjoerd werkte nu halve dagen, maar liet regelmatig verstek gaan als hij thuis harder nodig was. Hij was degene die Charity trouw naar de fysiotherapeut bracht en die thuis eindeloos alle oefeningen met haar herhaalde. Met succes, want ze kwam steeds dichter bij het niveau dat ze had gehad op het moment dat de ziekte toe had geslagen. Geen man ter wereld was trotser dan Sjoerd op het moment dat Charity voor het eerst sinds lange tijd weer een potlood vasthield en een tekening maakte. Daar kon zijn werk in het hotel niet tegen op. Het begrip dat zijn familie hiervoor toonde, begon echter af te nemen naarmate het langer duurde. Dat zijn kinderen voorgingen vonden ze allemaal logisch, dat hij dat echter zo ver doordreef dat hij zijn werk ervoor verwaarloosde, was een andere zaak.

Tijdens een directievergadering twee maanden later werd dit punt naar voren gebracht door Barend. Anneke was er niet bij, zij was thuisgebleven bij de kinderen. Na alles wat er gebeurd was durfden ze nog geen oppas in te schakelen, dus zorgden ze ervoor dat er altijd een van hen thuis was. De schrik zat er goed in.

'Ik zie wat dingen fout lopen,' begon hij. 'Iedereen doet zijn best alles zo veel mogelijk op te vangen, maar dit gaat niet langer zo. Paul maakt veel te veel overuren om de website en de administratie op peil te houden en daarnaast staat hij regelmatig in de winkel, waar hij niet voor aangenomen is.'

'Hij vindt dat niet erg,' zei Sjoerd meteen.

'Maar ik wel.' Over de rand van zijn bril heen keek Barend zijn zoon aan. 'Dat zijn jouw taken. Tijdens jouw afwezigheid moesten anderen wel inspringen, maar nu zou dat niet meer nodig moeten zijn. Charity is beter.'

'Ze heeft nog heel veel zorg nodig, dat kan ik niet alleen aan Anneke overlaten.'

'Je kunt daar wel een middenweg in zoeken. Natuurlijk gaat je kind voor, dat staat buiten kijf, maar het ene hoeft het andere niet uit te sluiten. Je werk moet gewoon in orde zijn. Als je dat niet met elkaar kunt combineren, moet je een andere oplossing zoeken. Iemand van buitenaf aannemen in jouw plaats bijvoorbeeld.'

'Welja, nog meer vreemden erbij,' mopperde Froukje.

'Bemoei je er niet mee,' beet Sjoerd haar toe.

'Pardon?' Ze trok haar wenkbrauwen hoog op. 'Als lid van de directie heb ik daar net zo goed iets over te zeggen. Ik ben trouwens blij dat pa dit eens naar voren brengt. We hebben al die tijd onze mond gehouden, maar we zien allemaal dat jij er tegenwoordig met de pet naar gooit. Het werk dat je doet is slordig en je maakt onnodig veel fouten, die anderen vervolgens weer recht moeten breien.'

'Mevrouw de perfectioniste,' spotte Sjoerd.

'Dat klopt, ja.' Froukje ging rechtop zitten, haar ogen schoten vuur. 'En zo'n slechte eigenschap is dat niet. Ik doe tenminste mijn best om mijn werk zo goed mogelijk te doen. Dit hotel is geen liefhebberij, het is een serieus bedrijf. Als je dat niet snapt, heb je hier niets te zoeken.'

'Ik begrijp niet dat ik ineens aangevallen word,' verdedigde Sjoerd zichzelf. 'Jij bent veel te fanatiek. Mijn gezin zal altijd boven mijn werk gaan, laat dat goed duidelijk zijn.'

'Dat is je goed recht, maar wij moeten wel weten waar we aan toe zijn,' kwam Leen kalm tussenbeide. 'Trek je dan inderdaad helemaal terug, dan kunnen we iemand aannemen die zich er honderd procent voor inzet.'

'Ja, dan kun je lekker huisvadertje gaan spelen,' zei Froukje hatelijk.

'Ach, barst met je hotel!' Sjoerd schoof met een ruk zijn stoel naar achteren, de poten krasten over de tegels. 'Neem maar iemand aan, ik kap ermee! Ik begrijp heel goed dat Noortje en Mark gestopt zijn, want dat gezeur van jou is voor niemand te verdragen. Ga vooral zo door, dan werk je hier straks in je eentje.'

Froukje trok bleek weg bij deze beschuldiging, maar haar ogen weken niet voor die van hem. 'Wat makkelijk om je eigen falen op een ander af te schuiven,' smaalde ze.

'Hou op, hier bereiken we niets mee,' zei Barend met stemverheffing. 'Sjoerd, ga zitten.'

'Ik ga naar huis,' zei Sjoerd echter kort. 'Hier heb ik geen zin in.'

'Je kunt niet zomaar weglopen als iets je niet bevalt.'

'O nee? Wat heb jij gedaan dan? Jij bent er zonder meer vandoor gegaan en wij moesten maar uitzoeken hoe we dat gingen redden. Jij bent de laatste om mij te vertellen wat ik moet doen.' Terwijl hij sprak, trok Sjoerd zijn jas met nijdige gebaren aan. 'Bekijken jullie het maar. Voor mijn part brandt dat hele hotel af.'

Hij trok met een luide knal de deur achter zich dicht. Leen sprong op en wilde hem achterna gaan, maar Barend hield hem met een handgebaar tegen. 'Laat hem maar even,' zei hij vermoeid. 'Hij trekt wel bij. Vergeet niet dat hij de laatste tijd gebukt is gegaan onder spanning, dat komt er nu allemaal uit. Vat het niet persoonlijk op.' Dat laatste zei hij tegen Froukje, die als een leeggelopen ballon tegen de leuning van haar stoel hing.

'Ik ben in ieder geval niet gestopt vanwege jou,' zei Noortje vriendelijk. 'En Mark ook niet. Sjoerd zoekt gewoon iemand om tegenaan te schoppen en helaas voor jou ben jij zijn doelwit.'

'En ik,' zei Barend droog. 'Enfin, een beetje gelijk heeft hij wel. Ik heb mijn verantwoordelijkheden hier eveneens ontlopen. Dat spijt me. Zullen we verdergaan met de vergadering? We laten de bezetting voor nu even zoals hij is. Sjoerd zal ongetwijfeld wel bijdraaien en zo niet, dan kunnen we daar altijd nog een beslissing over nemen. Wat is het volgende punt op de agenda?' Hij keek naar Leen.

'Er zijn klachten geweest over de schoonmaak van de kamers,' zei die met een blik op de papieren voor hem. 'Wat ons dan toch weer op de bezetting brengt. Gerda is te veel met de winkel bezig, ze heeft te weinig tijd om de meisjes te controleren.'

'Misschien is het een idee om een van de kamermeisjes te bevorderen tot leidinggevende,' stelde Barend voor.

Zo ging de vergadering verder alsof er niets voorgevallen was, maar allemaal hadden ze een nare smaak in hun mond vanwege de onverwachte ruzie. Noortje zei die avond weinig. Ze was nu aan het einde van haar zwangerschap en voelde zich de hele dag al niet goed. Het grootste gedeelte van wat er gezegd werd, ging dan ook aan haar voorbij.

'Oké, dat was het dus,' zei Barend op een gegeven moment. Een blik op zijn horloge vertelde hem dat het al over twaalven was. 'Voorlopig kom ik dus weer iedere dag werken, dat lost in ieder geval een gedeelte van het probleem op. Paul heeft dan zijn handen meer vrij voor andere zaken.'

Noortje schrok op. Dat gedeelte had ze niet eens meegekregen, besefte ze. Ze wreef met haar handen over haar buik, die gespannen aanvoelde.

'Gaat het wel helemaal goed met jou?' vroeg Lieke opmerkzaam.

'Niet echt, maar dat is niet zo verwonderlijk in dit stadium,' gaf Noortje als antwoord. Ze glimlachte er flauwtjes bij, maar iedereen zag hoe moe ze was.

'Je had thuis moeten blijven,' zei Leen bezorgd.

'Daar is het nu een beetje laat voor.' Weer wreef ze over haar buik.

'Heb je soms weeën?' vroeg Froukje.

'Niet echt weeën, het zeurt een beetje en voelt vervelend aan. Misschien begint de bevalling vannacht wel,' zei Noortje hoopvol. Ze had schoon genoeg van die buik en kon niet wachten om hun dochter in haar armen te houden.

'Dan is de kans dus groot dat ik er morgen niet ben,' zei Leen.

'Maak je geen zorgen, ik zal er op tijd zijn,' beloofde Barend voor ze allemaal opstonden en het hotel verlieten.

Pamela zou niet blij zijn, vreesde hij. Niet met het late tijdstip van thuiskomen en zeker niet met het feit dat hij de komende weken weer volop zou gaan werken. Veel keus had hij echter niet. Hij voelde zich al schuldig genoeg omdat hij het hotel destijds de rug toe had gekeerd, iets wat Sjoerd hem die avond nog even fijntjes voor zijn voeten had gegooid. Nu hij er weer middenin stond, begreep Barend zelf niet hoe hij dat had kunnen doen. Hoe heerlijk die vakantie in Australië ook geweest was, het was nog veel heerlijker om gewoon thuis te zijn en zijn dagelijkse taken weer uit te voeren. Hij zag inmiddels dan ook enorm op tegen de op handen zijnde emigratie. Misschien kunnen we afspreken om onze woonplaatsen af te wisselen, overwoog hij terwijl hij door het donker naar huis reed. Om en om een halfjaar in Australië en een halfjaar in Nederland, dat zou een optie zijn. Hij kon Pamela niet zonder meer voor het blok zetten en zeggen dat hij hier wilde blijven, al zou hij dat diep in zijn hart wel het liefst doen. De tijd in Australië leek zo onwerkelijk sinds hij terug was, hoezeer hij er ook van genoten had.

Zacht, bang om Pamela wakker te maken, haalde hij de buitendeur van het slot, waarna hij hem geruisloos achter zich dichtdeed. Het licht in de huiskamer brandde nog en net toen hij zich afvroeg of Pamela dat soms vergeten was uit te doen, hoorde hij haar stem.

'Nee, dat komt wel goed,' hoorde hij haar zeggen. Daarna bleef het even stil, zodat hij begreep dat ze aan de telefoon zat. Waarschijnlijk met Shelly, gezien het nachtelijke tijdstip. In Australië was de nieuwe dag net begonnen. 'Dat geld krijgen jullie heus wel, ik heb zo mijn eigen manieren om dat los te krijgen,' zei Pamela zelfvoldaan op het moment dat

Barend de kamer in wilde lopen. Hij bleef stokstijf staan, zich afvragend of hij dat goed verstaan had. Met zijn oren gespitst draaide hij zijn gezicht naar de deur, die half openstond. Door de brede kier zag hij Pamela op de bank zitten, met haar rug naar hem toe. Ze had inderdaad de telefoon met één hand tegen haar oor geklemd. Ze lachte hardop. 'Ja, dat klopt. Ik moet wat walging overwinnen, maar zijn bankrekening maakt veel goed. Straks woon ik in een prachtig huis bij jullie in de buurt, reken daar maar op. Zodra we bij een notaris zijn geweest om wat geld op mijn naam te zetten, maak ik een eind aan onze relatie. Het heeft me nu wel lang genoeg geduurd, moet ik zeggen. Barend zou dat al eerder regelen, maar hij brengt tegenwoordig weer zo veel tijd in dat stomme hotel door dat hij er nog niet aan toegekomen is. Ik denk dat ik er wat meer druk achter moet gaan zetten zo langzamerhand.' Weer bleef het even stil terwijl Shelly iets zei. 'Is goed, lieverd. Ik spreek je binnenkort weer. Droom maar vast over de komende uitbreiding. Ik zorg ervoor dat Barend dat geld overmaakt. Dag.' Ze verbrak de verbinding en boog naar voren om de telefoon op tafel te leggen.

Barend bleef als een zombie in de gang staan. De strekking van alles wat hij net gehoord had drong heel langzaam tot hem door. Al zijn spieren leken verlamd, hij was niet in staat om te bewegen. De schellen waren in één klap van zijn ogen gevallen. Dat was het dus. Zijn geld. Hij had het natuurlijk kunnen weten. Er waren veel tekenen die in die richting wezen, maar hij had er altijd zijn ogen voor gesloten. De trots dat zo'n mooie vrouw voor hem gevallen was, was groter geweest dan zijn gezonde verstand. Het stemmetje in zijn achterhoofd had hij met succes het zwijgen opgelegd, om blind en doof aan al haar wensen gehoor te geven. Maar hoe had hij ooit kunnen denken dat een vrouw als Pamela voor hem bestemd was? Zonder die geldprijs zou ze nooit een tweede blik op hem geworpen hebben, dat had hij altijd al geweten. Nog steeds zonder te bewegen zag hij Pamela opstaan en naar de deur lopen. Ze sloeg geschrokken haar hand voor haar mond bij de aanblik van Barend in de gang. Ze trok bleek weg. 'Hoelang sta jij hier al?' vroeg ze met schelle stem. 'Lang genoeg.' Hij klonk opmerkelijk kalm voor iemand wiens wereld net ingestort was. Alle liefde die hij voor deze vrouw had gevoeld, was uit zijn ogen verdwenen toen hij haar aankeek. 'Ik zal je niet midden in de nacht op straat zetten, maar ik verwacht dat je morgen je spullen pakt en verdwenen bent als ik uit mijn werk komt,' sprak hij op kille toon.

'Maar Barend... ik... dit...' stamelde Pamela.

'Ik wil er geen woord meer over horen.'

Eindelijk kwamen zijn benen weer tot leven. Met een strak gezicht liep hij langs haar heen naar boven, naar de logeerkamer. De deur daarvan draaide hij achter zich in het slot. Hij had geen behoefte aan een scène, die er anders ongetwijfeld zou komen. In de gang hoorde hij haar praten, daarna smeken en vervolgens huilen en schreeuwen, maar hij luisterde niet naar wat ze zei. Het maakte toch niets meer uit, het was over.

Vreemd genoeg voelde hij zich niet eens erg verdrietig, eerder beschaamd. Hij had beter moeten weten.

HOOFDSTUK 19

De stilte viel zwaar op Lieke toen ze na de vergadering haar flat binnenliep. Ze woonde hier nu twee maanden, maar nog steeds kon ze daar niet aan wennen. Gek, want toen ze nog met David in één huis woonde was ze ook weleens in haar eentje thuisgekomen, maar in die tijd had ze daar nooit last van. Ze vond het zelfs wel prettig om binnen te komen als hij er nog niet was, want dan kon ze even bijkomen van een dag werken. Tegenwoordig was dat anders. Zodra ze haar flat binnenstapte, viel de realiteit van het leven dat ze nu leidde dubbel op. Ze was alleen.

Moe was ze nog niet, dus liep ze de keuken in om de waterkoker aan te zetten. Een kop thee zou er wel ingaan. Even later zat ze met een beker thee en een doos chocolaatjes op de bank. Na één hap duwde ze de chocola echter van zich af. Het smaakte haar niet in haar eentje. Ze deed zo haar best iets van haar nieuwe leven te maken, toch lukte het maar niet. Ze bleef down en somber en had nergens zin in. Ze miste David meer dan ze toe wilde geven. Toch wist ze zeker dat ze de juiste beslissing genomen had. Als je zo verschillend dacht over dergelijke belangrijke zaken, paste je niet bij elkaar. Na alles wat er tussen hen voorgevallen was, was het voor haar onmogelijk om samen opnieuw te beginnen. Maar dat betekende niet dat ze niet terugverlangde naar vroeger, toen alles nog goed was tussen hen. Ze was zo gelukkig geweest met hem, het was bizar dat daar zo'n einde aan gekomen was. Soms droomde ze dat er niets gebeurd was en ze gewoon nog getrouwd waren. Uit zo'n droom werd ze dan met een glimlach wakker, tot ze zich realiseerde dat het niet echt was en de rauwe werkelijkheid weer over haar heen kwam. Het verdriet om haar onvervulde kinderwens had plaatsgemaakt voor het verdriet dat het mislukken van haar huwelijk met zich meebracht. Een schrale troost, dacht ze wel eens wrang bij zichzelf.

Het enige wat haar echt hielp deze periode door te komen, was haar bedrijf. Dat begon ineens lekker te lopen, met opdrachten waar ze twee jaar geleden alleen nog maar van kon dromen. Het werk slokte haar op en leidde haar aandacht af van alles wat er misging in haar leven. Ze zou niet eens tijd hebben voor een baby, hield ze zichzelf voor op dagen dat het gemis de overhand dreigde te krijgen. Ze wilde trouwens niet zeuren over alles wat ze niet had. Ze had jarenlang keihard gewerkt om een succes van haar bedrijf te maken en dat was haar nu gelukt, daar wilde ze zich op richten. Iedereen vond dat ze zich zo flink hield en ze bewonderden haar vanwege het feit dat ze haar blik op de toekomst gericht hield, maar niemand wist wat een puinhoop het in haar binnenste was.

Slapen lukte die nacht niet. Af en toe dommelde Lieke even in, om kort daarna weer rusteloos overeind te komen. Haar gedachten vlogen alle kanten op, maar concentreerden zich toch het meest op Noortje. Tijdens zo'n hazenslaapje droomde ze dat Noortje twee baby's in haar armen hield, waarvan ze er eentje aan haar, Lieke, overhandigde. Op het moment dat het geluid van haar telefoon door de stille flat weerklonk, wist ze dat ze hierop gewacht had. Met trillende handen pakte ze het toestel op.

'Ze is er, Lieke,' klonk de juichende stem van Leen in haar oor. 'Onze Veerle is tien minuten geleden geboren. Alles zit erop en eraan, ze is prachtig. Het ging zo vlot dat we het ziekenhuis niet eens gehaald hebben, dus Veerle is thuis geboren. Noortje vraagt of je zo snel mogelijk wilt komen.'

'Ik ben al onderweg,' zei Lieke met een grote grijns.

Het kwam goed uit dat ze zich niet eens omgekleed had voor de nacht, ze kon nu zo in haar auto stappen. Onderweg gingen haar gedachten terug naar die rare droom, waarin ze toch nog moeder werd dankzij haar tweelingzus. Zou ik dat willen? vroeg ze zich even serieus af. Maar ach, wat had het voor nut om daarbij stil te staan? Noortje had helemaal geen tweeling gekregen en zo wel, dan was het absurd om te denken dat ze er dan eentje weg zou geven. Ze moest niet zo raar doen en op dit moment zeker niet aan zichzelf denken, bedwong Lieke zichzelf. Dit was Noortjes dag. Een feestdag, die zij zeker niet mocht bederven door haar eigen gevoelens te tonen.

Ze dwong zichzelf dan ook een brede glimlach op te zetten op het moment dat ze de slaapkamer van Noortje en Leen betrad. Noortje lag te stralen in bed, het leek wel of ze licht gaf.

Haar armen waren beschermend om de baby heen geslagen. Lieke zag nog net het kleine gezichtje tussen de plooien van het dekentje. 'O, Noor,' zei ze gesmoord. 'Wat lief. En wat is ze mooi.' Ze moest hard slikken om de brok in haar keel weg te krijgen.

'Onze Veerle,' zei Noortje zacht. Steunend op één hand ging ze iets hoger zitten, daarna strekte ze haar armen met daarin de baby naar Lieke uit. 'Maak maar kennis met haar, Lieke.'

Uiterst voorzichtig pakte Lieke haar piepkleine nichtje aan. Met een onwerkelijk gevoel nam ze ieder detail van het gezichtje in zich op. De roze wangetjes, de lange, donkere wimpers, het getuite mondje. Het kindje van haar tweelingzus... Dichter bij een eigen kind dan dit zou ze nooit komen, realiseerde Lieke zich. Ze had het gevoel of haar hart in twee stukken brak. Zonder dat ze het zelf in de gaten had, stroomden de tranen ineens over haar wangen.

Noortje keek vanuit het bed toe, er plooide zich een glimlach om haar mond. 'Eindelijk,' zei ze tevreden.

De geboorte van Veerle leek de stroom van negatieve gebeurtenissen in de familie Nieuwkerk doorbroken te hebben. Haar komst bracht vreugde binnen het gezin, een vreugde die nog versterkt werd toen Barend vertelde dat zijn relatie met Pamela beëindigd was. Ze reageerden zwijgend op dit nieuws, maar zodra Barend buiten gehoorsafstand was, slaakten ze en bloc een zucht van verlichting.

'Alles komt goed,' zei Froukje. Nadat ze bij Noortje op kraamvisite waren geweest, wandelden zij en Mark op hun gemak terug naar hun eigen huis. De herfst deed al aarzelend zijn intrede, maar de nazomer deed flink zijn best die nog even op een afstand te houden. Hoewel de bladeren aan de bomen bruin kleurden en sommige takken al helemaal kaal waren, was de temperatuur buiten aangenaam. 'Ik voel het gewoon. Het is geen makkelijk jaar geweest, maar alles begint weer op zijn plek te vallen en normaal te worden.'

'Nou,' aarzelde Mark. 'Zo simpel ligt het allemaal niet. Het is voor je vader een flinke klap, vergeet dat niet. Hij was blind verliefd op Pamela.'

'Zo blind dat ze hem financieel behoorlijk uitgekleed heeft, maar nu hij weer kan zien, beseft hij zelf ook dat zij niet de juiste vrouw voor hem is,' meende Froukje optimistisch. 'Ik geloof niet dat hij er echt verdriet van heeft. In ieder geval doet hij zijn werk in het hotel weer als vanouds, net of er niets gebeurd is.'

'Vergeet Lieke en David niet. Voor hen zie ik het niet op zijn pootjes terechtkomen.'

'Lieke redt zich wel. Ze heeft nu tenminste eindelijk toegegeven dat ze verdriet heeft, in plaats van zich groot te houden. Dat kan nu alleen nog maar vooruitgaan.'

'Jij hebt nog steeds ruzie met Sjoerd,' zei Mark.

'Hè bah, wat doe jij pessimistisch,' verweet Froukje hem. 'Wil je nu werkelijk mijn goede stemming bederven? Nou, dat lukt je niet. Die ruzie tussen Sjoerd en mij komt echt wel weer in orde, het is heus de eerste keer niet dat we woorden hebben en het zal de laatste keer ook niet zijn. Pa is van die geldzuchtige heks af, Lieke voelt zich beter nu ze zich heeft kunnen uiten, jij voelt je op je plek in je restaurant en we hebben er een prachtig nichtje bij. Dat zijn allemaal blijde gebeurtenissen.'

'Oké, oké,' gaf Mark zich lachend gewonnen. 'Je hebt gelijk, ik geef het toe. Het leven is heerlijk en we zien met verlangen de toekomst tegemoet.' Hij draaide theatraal met zijn ogen.

'Juist,' zei Froukje tevreden. Ze stak haar arm door die van hem en bleef even stilstaan om hem een zoen te geven. 'Op dit moment heb ik weinig meer te wensen, al blijf ik het jammer vinden dat jij niet meer in het hotel werkt. Aan de andere kant zie ik hoe je het naar je zin hebt met je eigen zaak en dat is ook heel wat waard. Het leven is goed voor ons, Mark.'

'Zolang ik jou maar heb, is het sowieso goed,' zei hij terwijl hij haar tegen zich aan drukte. 'Dat restaurant is een leuke bijkomstigheid, maar niet het belangrijkste in mijn leven.'

'Voor mij neemt het hotel toch wel een heel belangrijke plek in,' peinsde Froukje. 'Niet boven jou, dat niet, maar wel vlak eronder.'

'Het valt me mee dat het geen gedeelde eerste plaats is,' plaagde hij haar.

'Net niet,' ging Froukje daar serieus op in. 'Het hotel is niet

zomaar een bedrijf voor me, het symboliseert onze familie-
band. Het een staat voor mij niet los van het ander.'

Ze hadden inmiddels hun huis bereikt. Froukjes telefoon begon te rinkelen op het moment dat ze de sleutel in de voordeur stak. Het was Mark die hem uit haar zak viste en opnam. Zijn gezicht betrok terwijl hij luisterde wat er aan de
andere kant werd gezegd. Froukje liep voor hem uit naar
binnen. 'Wie is het?' vroeg ze over haar schouder.

'Leen,' antwoordde Mark.

'Daar komen we net vandaan. Hebben we iets laten liggen
of zo?'

Mark schudde zijn hoofd. Zijn gezicht stond ernstig.

'Wat is er?' vroeg Froukje nu angstig. Ze schudde aan zijn
arm. 'Is het... Is er iets met pa?' Haar keel kneep samen van
angst.

'Nee. Het is... Het hotel... Er is brand, Froukje. Het hotel
staat in brand,' zei Mark met moeite. Hij wist wat een klap
dit voor haar moest zijn en hij vond het vreselijk dat hij haar
dit nieuws moest vertellen.

Haar ogen werden groot, haar gezicht werd bleek. Zelfs uit
haar lippen leek het bloed weg te trekken. Haar knieën begonnen te trillen en Mark kon haar nog net opvangen voor
ze op de grond belandde.

'Ik wil erheen,' zei ze toonloos.

'Dat lijkt me niet verstandig.'

'Ik wil erheen!' Deze keer schreeuwde ze de woorden, er lag
een verwilderde blik in haar ogen.

Mark besloot er niet meer tegen in te gaan. Zwijgend opende
hij het portier van zijn auto, waarna hij haar hielp met instappen. Het begon donker te worden toen ze de vertrouwde
weg reden naar het hotel. Onderweg passeerde een zieken-
wagen met gillende sirenes hen. Froukje kreunde. 'Als er
maar geen gewonden zijn,' zei ze zacht. 'Of erger...'

Mark zei niets. Wat kon hij ook zeggen? Ze hadden geen
flauw benul van wat ze aan zouden treffen, ze konden alleen
maar hopen dat het mee zou vallen. Leen had ook nog niet
veel geweten, hij had alleen een telefoontje gekregen met de
mededeling dat er een explosie in de keuken was geweest,
waarna er brand was uitgebroken.

De blauwe zwaailichten van de auto's van de hulpdiensten verlichtten al van verre de donker wordende lucht. Froukje zat gespannen voorover om zo snel mogelijk te kunnen zien hoe het ervoor stond. Enkele brandweerwagens versperden de inrit, dus zette Mark zijn wagen langs de weg. De auto van Leen stond daar ook al en nog voor ze uitgestapt waren, kwam Lieke aanrijden. Barend stond enkele meters verder met zijn handen in zijn zakken. Zijn ogen waren strak gericht op het geliefde gebouw, waar aan de achterkant de vlammen uitsloegen. Een doordringende brandlucht vulde de atmosfeer. Tientallen gasten van het hotel waren verzameld op het grasveld. Leen was al druk bezig om een bus en een locatie te regelen om ze voorlopig ergens onder te brengen, daarbij te hulp geschoten door Lieke. Froukje was niet in staat om iets te doen. Haar hersens weigerden alle dienst terwijl ze keek hoe haar levenswerk letterlijk in vlammen opging.

'Iedereen was er op tijd uit,' zei Barend zonder zijn ogen van het hotel af te wenden. 'Alleen een van de koks is gewond aan zijn handen. De ambulancebroeders zijn met hem bezig.'

'Gelukkig zijn er geen doden gevallen, dat is in ieder geval het belangrijkste,' zei Froukje. 'Maar toch...' Ze beet op haar lip. 'Kijk nou, pap. Dit komt nooit meer goed.'

'Het lijkt erger dan het is,' merkte Mark troostend op. Hij legde zijn hand op haar schouder, maar die schudde ze eraf. 'Nee, het is over.' Haar stem klonk volkomen emotieloos. 'Dit was het. Het is afgelopen met ons hotel.'

'Zeg dat niet, Frouk. Het is een klap, maar...'

'Houd je mond!' viel ze Mark hard in de rede. 'Wat kan jou het eigenlijk schelen? Je wist niet hoe snel je het hotel moest verlaten toen je de kans kreeg. Wie is er nou nog werkelijk mee bezig, behalve ikzelf? Stuk voor stuk hebben jullie het hotel de rug toegekeerd de laatste maanden. Jij...' Ze wees naar Barend. 'En jij.' Nu ging haar vinger naar Mark. 'Noortje werkt niet meer, Lieke is voornamelijk met haar eigen bedrijf bezig en Sjoerd... Nou, Sjoerd heeft zijn zin. Het hotel is afgebrand. Niemand hoeft zich er meer druk over te maken.'

'We kunnen het weer opbouwen,' zei Mark.

Ze schudde haar hoofd. 'Voor mij hoeft het niet meer.'

Barend reageerde helemaal niet op alles wat ze zei. Mark vroeg zich af of hij iets had gehoord van de uitbarsting van Froukje. Hij leek volkomen in zichzelf gekeerd. Plotseling dook Sjoerd naast hen op, hij zag er verwilderd uit. 'Hoe kan dit?' vroeg hij zich vertwijfeld af. 'Wat is er gebeurd?'

'Explosie in de keuken,' antwoordde Mark summier.

'Dit is toch wat je wilde?' Froukjes stem klonk snijdend. Ze balde haar vuisten en deed een stap in Sjoerds richting. 'Doe niet alsof je het erg vindt.'

Mark wilde haar opzij trekken, maar Sjoerd was hem voor. Hij pakte Froukje bij allebei haar schouders beet en keek haar recht aan. 'Het spijt me,' zei hij. 'Echt, Frouk, het spijt me enorm dat ik dat heb gezegd. Ik flapte het eruit in mijn kwaadheid, maar dit is verschrikkelijk. Ik vind het zo erg voor je. Kom hier.' Hij trok haar tegen zich aan en Froukje protesteerde niet. Tegen zijn borst aan begon ze wild te snikken terwijl Sjoerd haar haren streelde. 'Dit wilde ik echt niet,' mompelde hij.

Over haar hoofd heen staarde hij met holle ogen naar het vreselijke schouwspel wat zich vlak voor hem afspeelde. Hun hotel, het levenswerk van de familie. 'Hoe erg is het?' vroeg hij aan Leen, die naar hen toe kwam lopen.

'De keuken is volledig afgebrand,' berichtte die somber. 'De rest is nog intact, al heeft het hele gebouw uiteraard waterschade. Ik heb geen idee hoe erg het verder is, maar voorlopig zullen we moeten sluiten.'

'Het is afgelopen,' zei Froukje weer hard. 'Voorbij. Dit komt nooit meer goed.'

'O jawel.' Vanuit het niets klonk ineens Barends stem. Hij draaide zich om en keek zijn kinderen aan. Zijn gezicht stond onverzettelijk. 'We laten het echt niet op deze manier eindigen. Op dit moment is er nog weinig te zeggen over de totale schade, maar het hotel wordt opnieuw opgebouwd, hoe dan ook. Desnoods van de grond af.'

'Maar pap...'

'Als jullie niet meer mee willen werken, doe ik het alleen,' viel hij Froukje in de rede. 'Maar Hotel Margaretha houdt niet op te bestaan. Niet op deze manier in ieder geval. Buiten jullie is dit hotel de laatste schakel met Marga, dat realiseer ik me nu pas goed. We komen terug.'

'Pa heeft gelijk,' zei Sjoerd. 'We laten ons er niet onder krijgen. Dit is vreselijk, maar niet onoverkomelijk. Als we er met ons allen de schouders onder zetten, moet het lukken om het hotel in zijn oude glorie te herstellen.'

'Ik weet het niet.' Moe leunde Froukje tegen Mark aan, ze voelde zich volkomen leeg.

'Laten we hier weggaan,' zei Mark verstandig. 'We kunnen nu niets doen en staan alleen maar in de weg.'

'Lieke is van alles aan het regelen, we kunnen haar nu niet alleen laten,' zei Froukje echter. Ze maakte zich van hem los en liep met stramme benen naar Lieke toe, die de gasten aan het toespreken was. Enkelen van hen wilden liever meteen naar huis, voor anderen had ze plek in diverse hotels in de omgeving gevonden. Er was al een bus onderweg om iedereen op te halen. Een halfuur later was het terrein leeg, op de mannen van de hulpdiensten en wat nieuwsgierige toeschouwers uit de buurt na.

'Efficiënt geregeld,' prees de commandant van de brandweer hen. 'Dat hebben we weleens anders meegemaakt. Meestal moeten wij ervoor zorgen dat de mensen onderdak krijgen.'

Leen knikte naar Barend, Lieke, Sjoerd en Froukje. 'Dat is de kracht van de familie. Die zijn nergens door van hun stuk te brengen. Zelfs een brand krijgt hen er niet onder,' zei hij. Ondanks die opbeurende woorden staarden ze allemaal verslagen naar de resten van hun eens zo mooie hotel. Nu de vlammen gedoofd waren, was de schade goed zichtbaar. Het witte gebouw was nu een zwartgeblakerde, rokende puinhoop. Om moedeloos van te worden. Froukje keek ernaar met tranen in haar ogen. Ze had de laatste maanden vaak het gevoel gehad dat alles om haar heen in elkaar stortte, maar dit scenario had ze daar nooit bij in gedachten gehad. Dit was te erg. Hierbij vielen alle familieproblemen in het niet.

Zonder Barend, die voortdurend bleef herhalen dat dit niet het einde van het hotel was, had ze het bijltje erbij neergegooid. Barend, maandenlang de grote afwezige binnen de familie, bleek nu echter de drijvende kracht te zijn, degene die ervoor zorgde dat ze hun hoofden niet lieten hangen. Met een niet-aflatende energie regelde hij alles met de verzekering, schakelde hij een aannemersbedrijf in en spoorde hij zijn kinderen aan de moed niet te laten zakken. Het bleek de perfecte afleiding te zijn van zijn mislukte relatie met Pamela. Zijn zelfvertrouwen had een behoorlijke deuk opgelopen na zijn ontdekking dat ze hem alleen maar had gebruikt vanwege zijn bankrekening, nu had hij echter geen tijd meer om daarbij stil te staan en erover te piekeren. Zijn kinderen hadden hem nodig, het hotel had hem nodig. Marga zou gewild hebben dat het hotel weer werd opgebouwd en die wetenschap gaf hem genoeg kracht om door te gaan.

HOOFDSTUK 20

Dat jaar brachten ze voor het eerst sinds jaren eerste kerstdag niet door in het hotel, maar was de hele familie Nieuwkerk verzameld in het huis van Barend. Het inmiddels weer
fris witgeschilderde hotel hield zijn deuren gesloten tot het
nieuwe jaar. De verbouwing was achter de rug, alles was
weer schoon en niets herinnerde meer aan de puinhopen
van enkele maanden geleden. Zelfs de doordringende brandlucht was vervaagd. Lieke organiseerde op oudejaarsavond
een feest voor het voltallige personeel en hun gezinnen, om
te vieren dat Hotel Margaretha per 2 januari weer open zou
gaan voor hun gasten. De eerste boekingen waren alweer
binnengekomen op het moment dat het persbericht met de
aankondiging van de heropening de deur uit was gegaan.
Hun vrees dat het publiek het hotel voortaan zou mijden,
bleek dus ongegrond.
'Het is zelfs drukker dan ooit in januari,' zei Leen met een
blik op het boek op de receptiebalie, waar alle boekingen die
via de computer werden gedaan ook in werden geschreven.
'Ja, ja.' Noortje grinnikte. 'Zullen we ons daar overmorgen
eens mee bezighouden? Vanavond is het feest.'
'De heropening van Hotel Margaretha,' sprak Leen theatraal met een weids armgebaar.
'Volgens mij ben jij nog meer verknocht aan het hotel dan
wij met zijn allen,' lachte Noortje. Ze stak haar arm door
de zijne en zo wandelden ze samen naar de grote eetzaal,
die voor deze gelegenheid was omgetoverd tot feestzaal. De
tafels en stoelen waren naar de kant geschoven, zodat er
een ruime dansvloer was ontstaan. Een bandje bestaande
uit vier mannen en een vrouw, de zangeres, was bezig met
het opstellen van hun instrumenten.
'Ik kan me in ieder geval niet voorstellen dat ik ooit ergens
anders ga werken,' haakte Leen op haar woorden in. 'Dit
hotel is zo verweven met onze familie. Ik ben dan slechts
aangetrouwd, maar zo voelt het voor mij niet.'
'Voor mij gelukkig ook niet,' zei Noortje innig. Voor ze de
zaal betraden, gaf ze hem nog snel een zoen. 'Jij, Veerle en

ik zijn één, en samen maken we deel uit van een groter geheel, met dit hotel als verbindende factor. Ik denk dat we geen van allen ooit nog zonder kunnen. Dat is wel te zien aan pa, die sinds zijn tijdelijke dwaling meer betrokken is dan ooit. En aan Sjoerd, niet te vergeten. Sinds de brand werkt hij keihard om alles zo snel mogelijk weer te laten draaien, terwijl hij juist degene was die de boel een beetje liet versloffen.'

'En jij? Nog geen spijt van je beslissing om te stoppen?' vroeg Leen.

'Nou, een beetje wel.' Noortje keek om zich heen in de nieuwe, maar toch vertrouwde hal. 'Ik was dolblij toen mijn laatste werkdag erop zat, want ik had het echt gehad met alles, maar langzamerhand voel ik het toch weer kriebelen. Nu de zwangerschapshormonen uit mijn lijf aan het verdwijnen zijn, word ik weer de oude.'

'Gelukkig wel,' zei Leen uit de grond van zijn hart. 'De zwangerschap had een beetje een vreemde uitwerking op je. Hoewel ik nooit minder van je ben gaan houden, hoor,' voegde hij daar snel aan toe terwijl hij haar in zijn armen nam.

'Hé tortelduifjes, gaan jullie nog naar binnen? Jullie houden de hele boel op hier.' Lieke dook naast hen op, met Veerle in haar armen. De baby was wakker en keek met grote ogen om zich heen. 'Die gekke ouders van je,' vervolgde Lieke tegen het kind. 'Ze hebben alleen maar oog voor elkaar, zie je dat? Jij wordt helemaal vergeten. Ik denk dat ik je maar mee naar huis neem.'

'Voor af en toe een nachtje mag het,' grinnikte Noortje. 'Maar weet waar je aan begint. Deze dame is een expert in het wakker houden van haar ouders.'

'Dat heb ik haar geleerd,' plaagde Lieke. 'Zal ik haar in bed leggen, Noor? Marja, Damian en Charity zijn ook al bij de oppas in de crèche.'

'Goed.' Noortje knuffelde Veerle nog even snel voor Lieke haar meenam naar de crèche, waar Cindy deze avond op de kinderen van de familie lette. Lieke was echter niet van plan het in bed leggen van Veerle aan haar over te laten. Dat deed ze zelf. Direct na haar wilde huilbui bij Veerles geboorte had ze zich voorgenomen de lievelingstante van dit kleine meisje te worden en die taak nam ze uiterst serieus. Ze was regelmatig bij Noortje en Leen thuis te vinden, met Veerle als grootste trekpleister. Ze vond het heerlijk om met de baby bezig te zijn en verheugde zich nu al op de tijd dat Veerle zou gaan lopen en gaan praten. Ze was van plan heel veel met haar te ondernemen.

Hoewel het verdriet om haar eigen kinderloosheid nog hevig schrijnde, had Lieke opgelucht geconstateerd dat ze geen enkele last had van jaloezie ten opzichte van haar tweelingzus. Ze was alleen maar blij en gelukkig vanwege Veerles komst. Het had haar eigen verdriet niet weggevaagd, dat niet, maar blijdschap en verdriet bleken prima naast elkaar te kunnen bestaan zonder dat het een het ander overschaduwde.

Nadat ze Veerle had verzorgd en in het ledikantje had gelegd, bleef ze nog even staan kijken tot de baby door slaap overmand haar oogjes sloot. Haar hart barstte bijna uit zijn voegen, zo veel hield ze van dit kind. Lieke kon zich niet voorstellen dat gevoelens voor een eigen kind nog dieper zouden gaan. Enfin, dat zou ze nooit te weten komen. De bijna vertrouwd geworden pijn trok door haar hart heen, zoals vaker gebeurde. Een korte, felle scheut die haar met haar neus op de feiten drukte. Op die momenten was ze zich er hevig van bewust dat ze zelf nooit moeder zou worden. Maar ze had een parttime kind, troostte Lieke zichzelf na nog een laatste blik op Veerle geworpen te hebben. En een goedlopend bedrijf dat haar aandacht opslokte. Al met al had ze het helemaal niet slecht getroffen in het leven. Dit soort dingen kon ze tegenwoordig denken en ze kon ze ook menen, in plaats van zich alleen maar groot te houden in een poging zich minder beroerd te voelen. Het ging echt steeds beter met haar, al had ze haar moeilijke dagen. Maar wie kende die niet? Het gemis van David verdween steeds meer naar de achtergrond. Lieke had geaccepteerd dat ze niet meer bij elkaar waren. Toch had ze geen spijt van haar te korte huwelijk. Ze hadden samen ook mooie tijden gehad en gelukkig waren de herinneringen daaraan niet ondergesneeuwd door de ellende van de laatste maanden.

Nadat ze ook Marja had geknuffeld en even gestoeid had met Damian en Charity, die gelukkig helemaal hersteld was van haar ziekte, haastte ze zich naar de feestzaal, waar de hele familie inmiddels was gearriveerd. In afwachting van hun gasten voor die avond namen ze plaats aan de grote tafel in de eetzaal voor het personeel. Gerda ging met koffie en gebak rond.

'Voordat iedereen straks binnen is, wil ik nog even iets zeggen,' nam Barend het woord. Een algemeen gekreun steeg op. Barends speeches waren berucht in de familie. 'Geen zorgen, ik houd het kort,' beloofde hij met een glimlach. 'Ik kan jullie niet zeggen hoe blij ik ben dat we hier vanavond met zijn allen bij elkaar zijn, als vanouds. Het is geen makkelijk jaar geweest, voor niemand van ons, toch hebben we het weer gered samen. Dat is niet vanzelfsprekend, maar iets om dankbaar voor te zijn.'

'Ik ben vooral dankbaar dat Pamela uit de familiekring verdwenen is,' mompelde Noortje zacht tegen Lieke.

Barend had het echter gehoord. 'Ik ook,' zei hij droog, waarmee hij de lachers op zijn hand kreeg. 'Ik weet niet wat me bezielde.'

'Tijdelijke verstandsverbijstering,' knikte Froukje. 'Geeft niet, pap. Daar hebben we allemaal last van op zijn tijd.'

'Zoals ik.' Nu nam Sjoerd het woord. Hij keek ernstig de kring rond, als laatste rustten zijn ogen op Froukje naast hem. 'Nog dagelijks word ik gekweld door die ene opmerking tijdens onze laatste vergadering. Ik weet heus wel dat de brand daar niet door is ontstaan, maar toch... Het spijt me. Ons hotel is te dierbaar en te belangrijk om er achteloos mee om te gaan, dat heb ik in ieder geval wel geleerd.'

'Op ons hotel dan maar,' zei Froukje haastig terwijl ze haar koffiekopje omhooghield. 'Laten we nu alsjeblieft ophouden met dit soort bespiegelingen, anders begin ik te huilen en bederf ik mijn make-up.'

'Dat wil niemand op zijn geweten hebben,' besloot Barend lachend.

Het werd een fantastische avond. De ingehuurde band kreeg alle aanwezigen de dansvloer op met hun opzwepende muziek, de uitgekiende hapjes vonden gretig aftrek en de drank vloeide rijkelijk.

Barend bekeek het feestgedruis van een afstandje. Hij was

niet zo'n feestganger, al kon hij er wel van genieten als iedereen het naar zijn zin had, en dat was die avond duidelijk het geval. Zijn ogen gleden naar het grote portret van Marga boven de ingang van de zaal. Als naamgeefster van dit hotel hingen er diverse foto's van haar, waar hij nog steeds niet zonder weemoed naar kon kijken. Juist op dit soort avonden miste hij haar vreselijk. Hoe had hij zo stom kunnen zijn om te denken dat Pamela haar plaats in had kunnen nemen? De twee vrouwen hadden absoluut niets met elkaar gemeen. De tijd met Pamela kwam hem nu onwerkelijk voor. Sinds haar vertrek uit zijn huis had hij geen enkel contact meer met haar gehad en daar had hij ook geen behoefte aan. Het was een periode in zijn leven die hij het liefst wilde vergeten. Hij kon alleen maar blij zijn dat hij tijdig achter haar ware motieven was gekomen en dat het hem niet nog meer gekost had. Het geld dat hij al in het restaurant van Jason en Shelly had gestoken, was hij kwijt, maar daar maakte hij zich verder niet druk om. Dat beschouwde hij maar als de prijs voor zijn stommiteit.

'Gaat het?' Gerda kwam naast hem staan. Ook haar ogen dwaalden naar het portret van Marga. 'Mis je haar nog steeds?'

'Soms slaat het even dubbel toe,' antwoordde Barend.

'Ik weet wat je bedoelt. Ik heb dat zelf ook. Zo'n goede vriendin als Marga zal ik nooit meer krijgen,' zei Gerda.

'Maar we moeten verder en ik kan wel zeggen dat we dat goed doen. Ze zou trots op ons zijn.' Barend rukte zijn ogen los van de grote foto en wendde zich tot Gerda. 'Denk je ook niet?'

'Nu weer wel,' zei ze met een glimlach. 'Heb je veel verdriet van die verbroken relatie?'

Hij schudde zijn hoofd. 'Geen verdriet, het is vooral schaamte. Ik had beter moeten weten. Enkele jaren terug zou Pamela me geen blik waardig gekeurd hebben. Dat heb ik me nooit voldoende gerealiseerd, maar dat moet een maatstaf zijn. Jij zou bijvoorbeeld nooit achter een man aanjagen voor zijn geld.'

'Ik zou sowieso nooit achter een man aanjagen,' zei ze nuchter.

'Laten we dansen.' De band zette een rustig nummer in en Barend voerde Gerda aan haar arm mee naar de dansvloer. Zwijgend bewogen ze zich voort op het ritme van de muziek. Het voelde helemaal niet verkeerd om Gerda in zijn armen te houden, ontdekte Barend tot zijn eigen verbazing. Hij legde zijn arm iets steviger op haar rug. Gerda hief haar gezicht iets naar hem op en hun ogen vonden elkaar in een woordloos begrip. De glimlach die tussen hen werd uitgewisseld had iets heel intiems.

Ook Froukje en Mark bevonden zich op de dansvloer. Froukje genoot ervan om een hele avond met Mark door te brengen, iets wat door zijn werk niet al te vaak voorkwam. Hij had zich volledig op zijn restaurant gestort en kwam iedere avond met enthousiaste verhalen thuis. De twijfel die hij had gevoeld na het zetten van zijn handtekening onder het contract, was volledig verdwenen. In zijn eigen restaurant voelde hij zich als een vis in het water. De samenwerking met Amand verliep vlekkeloos en de twee mannen vulden elkaar goed aan. Amand nam het zakelijke gedeelte voor zijn rekening en Mark het culinaire. Met de wisselende kaart die ze voerden, kon hij zich helemaal uitleven in zijn keuken. Zijn enthousiasme verzoende Froukje met het feit dat hij niet meer in het hotel werkte. Dat had trouwens ook zijn goede kanten, had ze ontdekt. Nu hij niet meer als vanzelfsprekend op de hoogte was van alles wat zich daar afspeelde, had zij 's avonds ook wat nieuws te vertellen.

Dromerig leunde ze tegen hem aan terwijl hij haar over de vloer leidde. Ze schrok op toen de menigte om hen heen ineens luid vanaf tien begon terug te tellen.

'Het nieuwe jaar kondigt zich aan,' fluisterde Mark in haar oor. 'Ons jaar, Froukje. Laten we er iets moois van maken.'

'Veel mooier dan nu kan al niet meer,' zei ze terwijl een oorverdovend gejuich opsteeg en aan alle kanten de woorden 'gelukkig Nieuwjaar' werden geroepen.

Na een lange zoen met Mark wendde ze zich tot Barend, die naast hen op de dansvloer stond. 'Gelukkig Nieuwjaar, pap,' wenste ze hem.

'Ja, een heel gelukkig jaar,' klonk de stem van Sjoerd.

In een mum van tijd stonden ze allemaal bij elkaar in het midden van de dansvloer. Noortje, Leen, Froukje, Mark, Sjoerd, Anneke, Lieke en Barend, die zijn arm nog steeds om Gerda heen had geslagen. Hij keek haar aan met een blik in zijn ogen die een mengeling was van verbazing en verrukking.

'Dat zou zomaar eens kunnen gaan lukken,' zei hij.